A TECELÃ

A TECLA

BIBLIOTECA JUNGUIANA
DE PSICOLOGIA FEMININA

Barbara Black Koltuv, Ph.D.

A TECELÃ

*Uma Jornada Iniciática Rumo
à Individuação Feminina*

Tradução
Eliane Fittipaldi Pereira

**Editora
Cultrix**

SÃO PAULO

Título do original: *Weaving Woman — Essays in Feminine Psychology from the Notebooks of a Jungian Analyst*
Copyright © 1990 Barbara Black Koltuv.

Publicado pela primeira vez por Nicolas-Hays, York Beach, ME, EUA como Weaving Woman.

Copyright da edição brasileira © 1992, 2020 Editora Pensamento-Cultrix Ltda.

2ª edição 2020.

Todos os direitos reservados. Nenhuma parte desta obra pode ser reproduzida ou usada de qualquer forma ou por qualquer meio, eletrônico ou mecânico, inclusive fotocópias, gravações ou sistema de armazenamento em banco de dados, sem permissão por escrito, exceto nos casos de trechos curtos citados em resenhas críticas ou artigos de revistas.

A Editora Cultrix não se responsabiliza por eventuais mudanças ocorridas nos endereços convencionais ou eletrônicos citados neste livro.

Editor: Adilson Silva Ramachandra
Gerente editorial: Roseli de S. Ferraz
Produção editorial: Indiara Faria Kayo
Editoração eletrônica: Join Bureau
Revisão: Vivian Miwa Matsushita
Capa: Lucas Campos / Indie 6 Design Editorial

Dados Internacionais de Catalogação na Publicação (CIP)
(Câmara Brasileira do Livro, SP, Brasil)

Koltuv, Barbara Black
 A tecelã: uma jornada iniciática rumo a individuação feminina / Barbara Black Koltuv; tradução Eliane Fittipaldi Pereira. – 1. ed. – São Paulo: Editora Pensamento Cultrix, 2020. – (Biblioteca junguianade psicologia feminina)

 Título original: Weaving Woman: essays in feminine psychology from the notebooks of a jungian analyst
 ISBN 978-85-316-1567-2

 1. Feminilidade (Psicologia) 2. Jung, Carl Gustav, 1875-1961 – Psicologia 3. Mulheres – Psicologia 4. Psicanálise I. Título II. Série.

20-33896 CDD-150.1954

Índices para catálogo sistemático:
1. Psicologia junguiana 150.1954
Maria Alice Ferreira – Bibliotecária – CRB-8/7964

Direitos de tradução para a Língua Portuguesa adquiridos com exclusividade pela EDITORA PENSAMENTO-CULTRIX LTDA., que se reserva a propriedade literária desta tradução.
Rua Dr. Mário Vicente, 368 — 04270-000 — São Paulo, SP
Fone: (11) 2066-9000
http://www.editoracultrix.com.br
E-mail: atendimento@editoracultrix.com.br
Foi feito o depósito legal.

Sumário

Prefácio 7
1. Mistérios sanguíneos 9
2. Mães e filhas 33
3. Hetairas, amazonas e médiuns 47
4. Irmãs e sombras 63
5. *Animus*: amante e tirano 71
6. O desenvolvimento do *animus* 83
7. Os estágios do desenvolvimento do *animus* 93
8. Criatividade e realização 101
9. A feiticeira e a sabedoria 119
Epílogo 135
Notas 137

Prefácio

Estes ensaios levaram muito tempo para tomar forma: a tecelagem talvez se inicie com a coleta da lã, a concepção ou o encordoamento do tear. É preciso reunir o material, preparar uma estrutura e executar um processo de lavagem, cardagem, seleção, desenho, tecelagem, retesamento, e às vezes desmanchar e tornar a tecer.

Cinco destes ensaios foram concebidos em 1973 como uma série de seminários para a Fundação C. G. Jung, em Nova York. Chamava-se "A Tecelã". Eu tinha a intenção de apresentar os seminários apenas para mulheres, mas a diretora da Fundação, na época, ficou constrangida com a ideia. Não concordou em publicar a série como algo destinado apenas a mulheres, mas concordou em inscrever apenas mulheres. Como era de se prever, as únicas pessoas que quiseram fazer o curso foram mulheres. Dois anos depois, acrescentei mais três conferências e a Fundação ofereceu, novamente, "A Tecelã". Os tempos então já eram outros, eu havia mudado, e não havia necessidade de um seminário só para mulheres.

Um homem inscreveu-se no curso, mas só compareceu na primeira semana. Nos últimos dezessete anos, o material dessas conferências foi selecionado, arranjado, descartado, enriquecido e replanejado, mas o processo e a essência permaneceram os mesmos. A *tecelagem* é o processo e a *mulher* é a essência.

Sou analista há um quarto de século e mulher há duas vezes mais tempo. Aprender, compreender e encontrar significado têm sido atividades fundamentais em minha vida e venho realizando isso individualmente, sozinha comigo mesma, e também nos relacionamentos com outras pessoas. Meus pacientes são na maioria mulheres, e minhas amizades também consistem em mulheres, na maioria. Elas têm partilhado comigo suas experiências mais profundas e seu autoconhecimento, e faço mesmo com elas. Também há os homens. Com eles, as experiências frequentemente são mais intensas, repletas de sentimento e paixão, mas a partilha é menos frequente e talvez mais preciosa por ser assim tão rara. O fato é que aprendemos de maneiras diferentes no encontro com o oposto, com o Outro.

Barbara Black Koltuv
1990

1

Mistérios Sanguíneos

Imagine um ser que sangra mas não está ferido. Imagine um ser que sangra mas não morre. Será uma criatura mágica, mítica, ou apenas uma mulher? Ou ambas as coisas? Será que tal criatura pode ser "meramente" mulher? Há aqui um certo mistério a respeito do qual os homens nada sabem e as mulheres devem saber alguma coisa:

> Como pode um homem saber o que é a vida de uma mulher? A vida da mulher é muito diferente da do homem. Deus ordenou que assim fosse. O homem é o mesmo, desde o momento da circuncisão até o momento em que definha. Ele é sempre o mesmo, antes ou depois de se unir a uma mulher pela primeira vez. Mas o dia em que uma mulher experimenta o primeiro amor, ela se parte em duas. Nesse dia, torna-se outra mulher. O homem permanece o mesmo depois do primeiro amor. A mulher é outra depois do primeiro amor. Isso continua acontecendo a vida toda. O homem passa a noite com

uma mulher e vai-se embora. Sua vida e seu corpo permanecem os mesmos. A mulher concebe. Como mãe, ela é uma pessoa diferente da mulher que não tem filhos. Ela carrega o fruto da noite por nove meses em seu corpo. Alguma coisa cresce. Em sua vida, cresce algo que nunca mais a deixará. Ela é mãe. Ela é e continua sendo mãe, mesmo que seu filho morra, mesmo que todos os seus filhos morram. Isso porque uma vez carregou a criança debaixo do coração. E essa criança nunca mais abandona o seu coração. Nem mesmo quando está morta. Tudo isso o homem desconhece. Ele não sabe de nada. Não conhece a diferença que há antes do amor e depois do amor, antes da maternidade e depois da maternidade. Ele não pode saber de nada. Apenas uma mulher pode saber e falar disso. É por isso que não podemos aceitar que nossos maridos nos digam o que fazer. Uma mulher só pode fazer uma coisa. Pode respeitar a si mesma. Pode manter-se decente. Ela sempre deve agir em conformidade com a sua natureza. Deve ser sempre virgem e ser sempre mãe. Antes de cada relacionamento amoroso, ela é virgem, e depois de cada relacionamento amoroso, é mãe. É assim que se percebe se ela é uma boa mulher ou não.[1]

Estou iniciando o livro com essas palavras de uma mulher nobre da Abissínia porque sua expressão é tão autêntica que torna irrelevantes os argumentos comuns relativos à natureza e criação, biologia e destino. Num nível biológico básico, as mulheres *são* diferentes: nós temos um ciclo lunar. Somos capazes de carregar e nutrir outra vida dentro de nós mesmas, de dar à luz e amamentar com o nosso corpo. Esse é o aspecto transformacional miraculoso das mulheres. Esse ciclo lunar interior, ou ciclo menstrual, afeta nossa energia, nossas ideias, nossas emoções, e é a matriz da nossa própria natureza. Esse ciclo lunar afeta todas as mulheres até certo ponto e também os homens, por intermédio de seu lado contrassexual. Afeta algumas mulheres, mais do que outras. Para as mulheres, é um giroscópio interior essencial que está sempre presente. Um fato da vida. Quando uma pessoa se expande para cima ou para dentro e alcança a ponta da Lua, ela tem acesso ao nível mais profundo do *Self* (ver figura 2).

Essa natureza lunar é uma certa característica do tempo e da experiência que consiste em mudança, processo e transformação que é rítmica e periódica, mais cíclica que linear. O tempo lunar aumenta e diminui. As coisas parecem propícias ou não. Elas estão certas num momento e erradas no outro. As questões são relativas e inter-relacionadas. A maior parte da vida de uma pessoa é assim, governada mais pelo tempo lunar do que pela precisão quantitativa, mais abstrata, do sempre e do nunca e certamente do tempo solar racional. A respeito da consciência lunar, uma mulher escreveu o seguinte:

> Eu descobri que sabia dessa verdade quando meu segundo bebê tinha apenas algumas semanas de idade e meu marido e companheiro de longa data (que também era psicólogo clínico, mas de uma tendência quantitativa mais racional) perguntou-me: "Quando é que ele vai dormir a noite toda?". Nos quinze anos posteriores aos estudos da

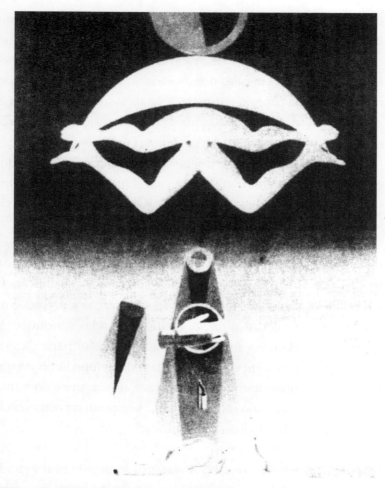

Figura 1. *Of This Men Shall Know Nothing*, Max Ernst, 1923, óleo sobre tela. Tate Gallery, Londres. Pintura surrealista com motivos alquímicos simbolizando a conjunção sexual do Sol e da Lua, numa representação da junção espiritual do Masculino e do Feminino.

Figura 2. "Oh, Senhora Lua, seus chifres apontam para o Oriente: Brilhe, cresça, Oh, Senhora Lua, seus chifres apontam para o Ocidente: Mingue, descanse". Christina Rossetti, "Senhora Lua", 1892. Ilustração de *Women: A Pictorial Archive from Nineteenth-Century Sources* (Nova York: Dover Publications).

faculdade, em que o modelo do cientista prático reinava supremo, eu tive filhos e sabia, com certeza, que a sua pergunta era inteiramente irrespondível.[2]

Sabendo disso e assumindo o controle do ciclo lunar interior, a pessoa pode ser verdadeira consigo mesma *e* em seus relacionamentos com outras pessoas. Ela pode vivenciar as profundezas lunares em vez de a superfície prateada, instável, em forma de foice. Além disso, ao prestar atenção em seu ciclo lunar interior, as mulheres estão menos sujeitas a serem queimadas vivas quando competirem por engano com os cachorros loucos e os ingleses que saem ao sol do meio-dia. A expressão popular "queimar-se" parece ser um termo adequado para designar os resultados da supervalorização cultural do mito solar e da negligência do mito lunar. O Alcorão sabe que ambos são sinais de Deus, que têm o mesmo valor, ou favorece a noite. Quando a prece é oferecida no terceiro momento da noite, a noite mais escura ou *ayla*, Allah desce para o Paraíso Divino inferior – aproximando-se mais da humanidade – de modo a poder ouvir as orações dos seres humanos.

O mito cabalístico da criação explica que, no início, o Sol e a Lua tinham a mesma luz e o mesmo poder, mas tiveram uma briga de namorados por causa de ciúme. Para terminar com a disputa, Deus diminuiu a luz da Lua e fez com que seguisse adiante como "aquela que se velou a si mesma". Por muitas eras, houve consequências[3] dessa aparente diminuição e velamento da força e da luz da Lua e, naturalmente, a briga de namorados entre o Sol e a Lua ainda continua (ver figura 3).

Figura 3. Os amantes guerreando, o Sol e a Lua, com a Lua já velada. Extraída de *Aurora Consurgens*, texto alquímico do século XIV.

A Lua e o nosso próprio ciclo lunar interior estão intimamente relacionados com a criatividade. Para ter acesso a esse nível dentro de nós mesmas, devemos em primeiro lugar reconhecer que *é* de fato um mistério, um Mistério Sanguíneo que deve ser abordado como uma atitude religiosa. A característica de mistério da Lua, por ser velada e oculta, também é na minha opinião, um aspecto essencial da natureza feminina. Por exemplo, uma mulher que estava às voltas com um esplêndido caso de amor sonhou[4] que ela e seu amante haviam sido separados pelos pais, pelo destino e pela sociedade – como em *Romeu e Julieta*. Uma mulher mais velha – na verdade a mãe de seu amante, que, depois de criar os filhos, retornara à sua terra natal (a Noruega, o país do sol da meia-noite) para viver a própria vida – coloca-a em contato com o amante por alguns momentos, mas depois a ligação se desfaz. Embora a mulher mais velha, no sonho uma telefonista, tente restabelecer o contato, a moça do sonho parte em busca de um delineador de *kohl* para pintar os olhos ou velar sua alma. Houve a necessidade dessa *separatio* dos dois amantes para que a mulher pudesse entrar em contato consigo mesma. A moça do sonho usou o *kohl* pela primeira vez na cidade de Fez, uma cidade labiríntica que fica no Marrocos. Em seu segundo diário, Anaïs Nin escreveu que Fez é a imagem da cidade interior – a imagem do seu eu interior: "a cidade que mais se parece com o ventre materno, com a delicadeza, a tranquilidade e o mistério das noites árabes. Eu mesma, mulher, ventre, com janelas gradeadas, olhos velados. Ruas tortuosas, quartos secretos, labirintos e mais labirintos".[5] (Ver figura 4.)

O sonho disse à moça que sua "sogra" interior, que operava no tempo solar, no nível tecnológico racional, estava tentando colocá-la em contato com o homem externo, enquanto ela própria, no tempo lunar, precisava percorrer o labirinto interior de sua natureza feminina em busca de *kohl*, substância plúmbea utilizada desde eras remotas para contornar os olhos, ou janelas da alma.[6]

Na Bíblia, as mulheres se preparam para atos heroicos aplicando *kohl* num ritual cerimonioso em que se vestem e mascaram sua intenção íntima *não* como um modo de se tornar atraentes para os outros, nem como um modo de se "arrumar" ou de se tornar aceitáveis. Na época do Antigo Testamento, quando as pessoas estavam mais próximas de suas culturas

Figura 4. Mulheres veladas de várias culturas.

matriarcais antigas, em que se adoravam as deusas, as mulheres ainda faziam bolos para a Rainha do Céu, a Lua (Jeremias, 7:18).[7] As mulheres entravam em contato com sua força criativa feminina cobrindo-se com véus.

Ester prepara-se para um terrível encontro com o rei, conduta que ela escolheu contrariando a regra patriarcal e divina imposta por ele, retirando-se, meditando e usando o *kohl* e outras poções mágicas. (Ver figura 5.) Assim, ela salva do extermínio o seu povo, nossos ancestrais judeu-cristãos. Jael entra em sua tenda, aplica *kohl* e outros unguentos e depois convida Sistera, inimigo do seu povo, para entrar. Alimenta-o com leite e mel e coloca-o para dormir. Então, dá uma pancada em seu crânio com uma estaca da tenda. Judite também usa o *kohl* e se cobre com véus. Depois, seduz e decapita o inimigo de seu povo e leva a cabeça dele para casa numa cesta. Tamar também pinta os olhos ritualisticamente, cobre-se com véus, disfarça-se como prostituta e fica esperando fora da estrada para forçar o sogro a fazer aquilo que ela acredita ser justo e correto.

Posteriormente, na história, os olhos velados e pintados de Jezebel e sua força feminina são depreciados. E, no Novo Testamento, Salomé *tira* o véu numa dança ritual para obter a cabeça de João Batista numa bandeja. Seria essa perversão da profunda necessidade instintiva feminina de cobrir-se com véus uma expressão da ira feminina coletiva em relação à chegada da era cristã, na qual o filho de Deus, carregando consigo todos os valores da luz solar, nasce de uma virgem que está de pé sobre a lua crescente e as mulheres são denegridas como sedutoras e pecadoras, ou idealizadas como receptáculos de *kinder, kuch* e *kusch?*

Figura 5. *La Toilette d'Esther,* Theodore Chasseriau, 1842. Louvre, Paris.

Mulheres que sofrem de queimaduras de sol sonham com vestiários públicos azulejados em ginásios de escola e clubes de lazer semelhantes aos da Grécia antiga, que são frequentemente invadidos pelos "rapazes" e não oferecem privacidade nem segurança para se cobrirem ou se descobrirem. À medida que essas mulheres modernas estabelecem contato mais íntimo com sua natureza lunar feminina, os vestiários de seus sonhos vão se tornando mais protegidos e semelhantes a um harém. (Ver figura 6.)

Figura 6. Altar da lua cheia. Foto cedida por cortesia de Haskin-Lobell.

A Lua é semelhante à mulher. É diferente a cada noite e tem um ciclo regular, mas misterioso. Nossa visão da Lua se altera. Às vezes, ela não se encontra no céu, está imperceptível, escondida e velada, mas controla as marés da emoção e da energia. Quando nos tornamos conscientes da Lua interior ou ciclo menstrual, somos capazes de nos aproximar da deusa que há dentro de nós e começar a conhecer a nós mesmas. Quando nos *submetemos* conscientemente à necessidade interior da nossa vida instintiva, nós nos tornamos mais singulares, mais verdadeiras conosco mesmas. É isso que Esther Harding chama a atitude psicológica da Virgem – única em si mesma[8] – ou aquilo que Irene de Castillejo chama nossa alma feminina, aquela que não pode ser negada.[9]

O início do ciclo é como uma lua crescente que vai aumentando,[10] fabricando estrógeno. Há sentimentos de iniciação, construção, energia, forte desejo sexual, uma disposição de ânimo exterior ascendente. No meio do ciclo, a ovulação, época da lua cheia, o sentimento erótico está no auge, realçado por uma poderosa receptividade, tensa de desejo. É a época dos orgasmos amorosos, abertos, fáceis. As mulheres sentem-se bem, confiantes e fortes. Numa dessas fases, uma mulher sonhou que um cachorro de pelos prateados corria em sua direção, descendo do topo de uma colina graciosamente arredondada. Os níveis de estrógeno são altos e os níveis de progesterona aumentam rapidamente; psicologicamente, há uma intensificação das tendências receptivas que representam uma preparação para a gravidez. É uma boa época para se trabalhar em projetos iniciados anteriormente. Boa época para se estabelecer relações.

Então, de repente, uma semana depois, os níveis de estrógeno e de progesterona declinam rapidamente, e o lado escuro da Lua desce sobre *nós*. As mulheres sentem tensão, raiva, fortes e urgentes necessidades sexuais (ao mesmo tempo que afugentam os amantes com seus gritos). Os estrógenos estão em ascendência. Depressão, desespero, raiva e temores de mutilação são abundantes. Todas as forças primitivas estão sobre nós — e dentro de nós. É época de afastamento, de recolhimento e introversão. Época de mergulhar em si mesma. Imagine uma cabana menstrual à beira de um pântano. Durante a semana pré-menstrual, uma mulher teve o seguinte sonho: "Há uma casinha numa clareira em meio à floresta. Homens brutos, caipiras, estão em pé em volta da clareira esperando a passagem dos touros. Ao sentir a violência e a sanguinolência da ação iminente, a mulher do sonho entra na casa".

Essa introversão, a ida para dentro do *Self* da pessoa e o afastamento de um sistema de valores masculino ou patriarcal pode ser uma época de autorrestabelecimento, criatividade e espiritualidade.

É uma época de mistérios femininos. A mulher pode se retirar e trabalhar naquilo que é necessário para o próximo giro da roda. A necessidade dessa introversão feminina e dessa conexão com a deusa se reflete na história de Raquel, no Antigo Testamento. Ela roubou os deuses do lar da casa de seu pai. Estes eram imagens terrenas da Grande Deusa Astarté. Quando seu pai chegou ao lugar em que ela e Jacó estavam alojados e quis procurar pelos ídolos roubados, Raquel escondeu-os sob o feno do camelo e sentou-se em cima deles. Quando o pai entrou na tenda em busca da Deusa, ela disse: "Não fique bravo, meu senhor, mas não posso me levantar na sua presença, pois me encontro naquele estado em que as mulheres ficam de tempos em tempos, uma vez ou outra". Raquel permaneceu sentada, por assim dizer, sobre sua própria natureza feminina, enquanto o pai procurava no acampamento, mas não conseguia encontrar os ídolos. A lei patriarcal, a regra de Yahweh, proíbe os homens de tocar, aproximar-se de uma mulher menstruada ou aceitar comida dela. Até mesmo ocupar o sofá de uma mulher menstruada era proibido, porque alguém poderia sentar-se exatamente onde ela havia se sentado. Talvez esses tabus reflitam o medo do poder e dos Mistérios Sanguíneos mágicos da Grande Deusa negligenciada e rejeitada.[11]

Esse sentar-se sobre a própria natureza feminina, assim como o processo introvertido simultâneo exigido durante os dias pré-menstruais, é uma mudança psicológica interior. Se a pessoa tomar parte no processo conscientemente, haverá grandes benefícios; se não tomar, sentirá a ira furiosa da Deusa em dolorosa consequência. A mulher que está conscientemente ligada ao seu ciclo lunar interior continua a trabalhar, a relacionar-se com os outros e a viver sua vida, mas estabelece a ligação a partir de um lugar diferente, mais escuro, mais profundo. Não se trata de uma síndrome de doença. Trata-se de um evento cíclico necessário, que ocorre naturalmente, que é biologicamente determinado e culturalmente benéfico. As mulheres, e seus homens, que conscientemente aceitam essa necessidade periódica de se recolher e mudar de nível, colhem tremendas recompensas. Descobrem que a fraca energia pré-menstrual é ótima para liquidar com pilhas de tarefas físicas fáceis, repetitivas e geralmente aborrecidas.

É época de recolher, de classificar, de limpar, época de fazer coisas fáceis e metódicas. Não é boa para uma discriminação acurada, para o raciocínio ou decisões rápidas. É época de limpar armários, gavetas e geladeiras.

Restabelecer relações com os Mistérios Sanguíneos da própria natureza feminina instintiva une a mulher a si mesma, à condição humana e à Deusa interior. No romance *Who Made the Lamb*,[12] Charlotte Painter conta a história de uma antropóloga americana que ficou grávida quando vivia numa pequena aldeia do México. Embora já estivesse morando lá havia mais de um ano, não participava da vida da aldeia. Quando sua empregada contou a notícia às mulheres da cidade, elas se aproximaram da antropóloga e, usando uma garrafa de cerveja para representar o bebê, ensinaram-lhe a enrolar, levantar, segurar e amamentar um bebê num xale ou *rebozo*. De um momento para outro, ela sentiu que era uma mulher entre todas as mulheres do mundo. Esses Mistérios Sanguíneos – menstruação, sexualidade, gravidez, parto, lactação e menopausa – são a nossa história, dentro de nós mesmas e no mundo.

Quando nos apropriamos conscientemente da Lua e dormimos com o rosto voltado para ela, a Lua nos recompensa com a sua luz e fecundidade.

O relato personalíssimo e detalhado de um sonho e estudo de caso que vem a seguir é o único que está incluído neste livro. Ele demonstra como se pode dar atenção de maneira prática e informativa ao ciclo lunar interior. A mulher que sonha tem 36 anos, é mãe de um garotinho de 1 ano e de uma menina de 7 anos de idade.

É uma psicoterapeuta que se prepara para se tornar analista junguiana e uma de minhas pacientes.

A experiência começou com um sonho em que um fio de arame ligava uma verruga no meu indicador direito a uma origem misteriosa. Não doía, mas me tornava consciente da verruga e eu estava curiosa a respeito dessa ligação – para onde conduzia, o que significava...

Alguns dias depois, sonhei que vinha descendo por uma trilha íngreme na montanha, carregando meu filhinho nos braços. Chovia forte e eu estava com muito medo de escorregar. Sílvia apareceu e me disse que já havia estado lá e que havia outro caminho. Mostrou-me que, virando à esquerda, o caminho não era tão íngreme. "Mas eu quero descer", disse-lhe. Ela me garantiu que também se tratava de uma descida e eu segui pelo caminho que ela me indicou.

Sílvia é o nome da mais velha das Vestais e a Sílvia do sonho é a primeira mulher que contou à moça do sonho a história da descida de Ishtar. No mito, Ishtar, como Rainha do Céu e da Terra, ansiando por seu filho/amante Tammuz, desce às profundezas do mundo inferior, que é governado por sua irmã gêmea, Irkalla. Há sete portões a transpor nessa jornada e, em cada lugar, Ishtar tem de remover uma peça de roupa ou uma joia.

Quando Padraic Colum conta essa história, transmite o ritmo e a poesia que fazem parte da experiência do tempo lunar:

> "Entre, Minha Senhora, e deixe que o reino de Irkalla se regozije à sua chegada; deixe que o palácio desta terra, de onde ninguém retorna, se alegre com a sua presença."
> Ele disse isso e tirou a grande coroa da cabeça de Ishtar.

"Por que tirou a grande coroa de minha cabeça?" "Entre assim, minha Senhora; essa é a lei de Irkalla."

O ritual continua em cada um dos portões até que...

... Lady Ishtar, com a cabeça baixa, não mais radiante nem magnificente em seus ornamentos de ouro, sem o vestuário completo e resplandecente, com passos hesitantes e incertos, atravessou o sexto portão e viu o sétimo muro à sua frente. O Vigia abriu o portão que lá havia. "Entre, Minha Senhora. Deixe que o reino de Irkalla se regozije com a sua presença; deixe que o palácio desta terra, de onde ninguém retorna, se alegre com a Senhora." Disse isso e tirou-lhe a roupa. "Por que tirou minha roupa?" "Entre assim, minha Senhora; essa é a lei de Irkalla."

E nua, em seu esplendor e poder, com sua beleza desaparecida, a Senhora dos Deuses chegou diante de Irkalla. E Irkalla, a Deusa do Mundo Subterrâneo, tinha cabeça de leoa e corpo de mulher; nas mãos, segurava uma serpente.[13]

Seguiram-se sonhos em que ela era voluptuosamente empurrada para baixo. Sonhou que viajava através das "comportas" de um canal e descia ainda mais, guiada por uma mulher semelhante a Hécate. Esta lhe contou que havia mordido a filha de 4 anos de idade, quando a menina estava em meio a uma crise edipiana, num dia de verão numa cidade turística muito conservadora da costa do Maine. Em outro sonho, teve notícias de uma mulher que foi até o "Baixo Westchester" para buscar o filho e lá morreu.

Depois, houve sonhos com todos os tipos de características horríveis da sombra – uma figura da Mãe Terrível, negativa, crítica, carente e fatal, e seu consorte, com os aspectos masculinos, grosseiros, terrestres, fálicos expressos na estátua de Baco reproduzida na figura 7.

Na vida diária, ela também encontrava o escuro e o negativo. Via-se forçada a lidar com outra mãe, no grupo de amigos do filho, que intuitivamente tentava evitar. Havia uma coincidência estranha, em termos de história pessoal, entre aquela mãe e a Mãe Terrível com a qual sonhara. As mães de ambas haviam morrido no parto, ambas haviam sido abandonadas pelos pais na Europa duas vezes – na primeira infância e depois novamente, quando tinham 13 ou 14 anos. As duas não queriam filhos, e haviam feito histerectomia e muitas outras operações graves quando ainda eram relativamente jovens.

Durante esse período, minha paciente sentia que estava realmente no mundo subterrâneo. Sentia que seu nariz estava sendo esfregado no terrestre, no grosseiro e no negativo. Quando estava no mundo subterrâneo, Ishtar "não viu mais a luz; penas caíram sobre ela; engoliu poeira e alimentou-se de lama; ficou como aquelas pessoas que tinha enviado para o reino de Irkalla".[14]

Então, para seu desespero, minha paciente percebeu que estava grávida. Fazia apenas um dia ou dois, mas ela sabia. Sentia que se tratava de um castigo adequado, porque considerava a concepção de cada um de seus filhos um milagre e porque as

Figura 7. Baco, grosseiro e terrestre. Esta escultura encontra-se no Palácio Pitti, em Florença.

experiências que tivera com a gravidez e o parto tinham sido as mais numinosas de sua vida. Então ela disse que estava grávida e sabia que tinha de fazer um aborto. Teria de decidir-se conscientemente a utilizar o poder negativo da Deusa para abortar aquela criança, porque sabia que não poderia lhe dar o amor e o cuidado de que necessitaria.

Ela sonhou que estava no mundo subterrâneo e que encontrara uma mulher terrestre chamada Pérola Pluto, que fora uma de suas amigas na adolescência. O pai e os irmãos mais velhos de Pérola eram açougueiros. O nome Pérola também era significativo: durante esse período, a mulher que sonhou estava bordando um tapeçaria com um dragão que descia do céu, entrava no mar e trazia consigo uma pérola brilhante, que ela associava com o mito gnóstico da pérola da individualidade que é recuperada das profundezas. Ela se lembrava da "Ode a Lesbos", de Sylvia Plath, que fala de mães judias que guardam o doce sexo dos filhos como a uma pérola.[15]

Em outro sonho, ela usava roupas de seda e se encontrava com o Outro, um homem frio e impessoal a quem amava e respeitava, e que lhe disse, antes de fazerem amor: "Espero que você não tenha violado o recinto sagrado". Ele parecia estar dizendo: "Você não deve fazer um aborto porque *é* contra a vontade de Deus" – uma forte opinião patriarcal. Ela lutava contra o peso disso.

Naquele fim de semana, ela planejava assistir a um seminário de Joseph Campbell a respeito da Grande Deusa. Sonhou que ia ao seminário e lá encontrava todos os analistas junguianos de Nova York. Dentre eles, havia uma jovem analista que se exibia com liberdade e alegria, como fizera recentemente ao apresentar um trabalho a respeito de sua experiência sobre personificação através de movimentos. No sonho, ela era a líder da oficina de trabalhos e pedia aos participantes para escolherem um parceiro.

A mulher que estava sonhando perguntou-lhe se queria ser sua parceira e, de repente, símbolos mágicos surgiram, representando a inteireza dos elementos masculinos e femininos, como no *Yin* e no *Yang*.

Nessa noite, minha paciente assistiu ao seminário real e Joseph Campbell, mostrando um *slide* de antigas danças de touros, disse que o culto da Deusa é sempre caracterizado pela experiência de vida, pela dança ou pelo sacrifício, e não pelo dogma celeste.

Em sua vida, ela também começou a vivenciar os aspectos positivos e nutricionais do feminino e das outras mulheres. Uma amiga sugeriu que descobrisse um ritual para dizer adeus ao bebê – a partir de seu próprio arrependimento por não ter feito isso quando fez um aborto. Uma amiga sensível e muito maternal disse-lhe que, se descobrisse que estava grávida, também faria um aborto, pois sabia que um bebê naquela hora iria oprimi-la. Nessa noite, ela sonhou que a mulher maternal tinha ajudado a executar o aborto, girando, num eixo, uma pedra de jade verde pré-colombiana, gravada com antigos símbolos maias. A Grande Roda girou e a decisão foi tomada.

No dia em que ela fez o aborto, surgiram-lhe dois pacientes novos. Ambos tinham necessidade de aprender a lidar com a morte. Um deles era uma mulher que tinha sido indicada por outro terapeuta dois meses antes. Ela sofrera um aborto e, um ano depois, havia dado à luz uma criança natimorta. O outro era um antigo paciente que trabalhara com ela cinco anos antes, naquele momento, em que contraiu a doença de Hodgkins. Ela não fora capaz de ajudá-lo muito naquele momento, mas sentia sua volta como um sinal de que talvez agora pudesse ajudá-lo a conviver com a morte.

O último sonho foi o seguinte: uma imagem de si mesma como uma estátua de argila, vista de certa distância, vestida de preto e branco, dentro da qual ela encontrara o significado da sua experiência da Deusa. Com a ajuda da Deusa interior, ela conseguiu tomar a decisão de fazer o aborto. Depois de dez meses lunares, ela sonhou com bebês mortos, com bandejas e mais bandejas cheias de corpos de bebês mortos, e teve de entrar em acordo com o Deus patriarcal judeu-cristão que também vive dentro de nós — mas isso já é outra história.

2
Mães e Filhas

"Mistérios Sanguíneos" trata da inteireza essencial subjacente à Psiquê feminina. Os dois ensaios seguintes, "Mães e Filhas" e "Hetairas, Amazonas e Médiuns", abordam a psicologia das mulheres de modo um pouco mais analítico, com a utilização de "Formas Estruturais do Feminino", de Toni Wolff,[1] como esquema de classificação informativa. Acredito que toda mulher tem cada uma dessas características dentro de si. Ela se desenvolve, se diferencia e sobrevive com cada uma dessas energias ou papéis em diferentes épocas de sua vida. Tomando a biologia como guia, vamos começar do princípio, com mãe e filha. Há, aqui, laços emocionais muito fortes. Ninguém jamais se separa inteiramente da mãe. Após anos e anos de análise e autoconhecimento, somos passíveis de chegar a uma rede de sentimentos que nos une irrevogavelmente à nossa mãe. Ouvimos a sua voz saindo da nossa boca quando falamos com uma criança ou nos deparamos com seu rosto no espelho, numa certa expressão, ou nos sentimos como crianças indefesas e exasperadas na idade de 30, 40 ou 50 anos. As mulheres mais velhas, em particular, dizem: "Estou ficando igual a minha mãe". A esse respeito, Jung escreveu o seguinte:

> Deméter e Cora, mãe e filha, ampliam a consciência feminina tanto para cima como para baixo. Elas lhe acrescentam uma dimensão "mais velha e mais jovem", "mais forte e mais fraca" e alargam a mente consciente estreitamente limitada, confinada no espaço e no tempo, oferecendo-lhe sugestões de uma personalidade maior e mais abrangente, que tem seu quinhão no eterno curso das coisas... Portanto, poderíamos dizer que toda mãe contém a filha em si mesma, que toda filha contém a mãe e que toda mulher se amplia para trás, em sua mãe, e para a frente, em sua filha. Essa participação e essa mistura dão origem àquela incerteza peculiar no que diz respeito ao *tempo*: a mulher vive, no início, como filha e, depois, como mãe... Uma experiência desse tipo oferece ao indivíduo um lugar e um significado na vida das gerações, de modo que todos os obstáculos desnecessários são eliminados do caminho, na correnteza da vida que deve fluir através dela. Ao mesmo tempo, o indivíduo é salvo do isolamento e devolvido à inteireza.[2]

Romances, filmes, sonhos e experiências ilustram essa continuidade essencial (ver figura 8). Eis aqui o sonho de uma mulher que tinha aquilo que se costuma chamar um complexo materno negativo. Ela decidiu que seria qualquer coisa, mas que não seria parecida com a mãe. Portanto, tinha problemas para separar-se da mãe e também para diferenciar e respeitar suas próprias necessidades e desejos. Acho que frequentemente acontece, às mulheres que têm "qualquer coisa menos um complexo de semelhança com a mãe", de casar-se com suas mães, ou pelo menos de casar-se com homens muito parecidos com suas mães no modo de relacionar-se com elas. No caso dessa mulher, é o que acontecia.

Na noite em que finalmente conseguiu dizer "não" ao marido porque não estava com vontade de fazer sexo, teve o seguinte sonho: sua mãe estava usando o mesmo tipo de maquiagem para os olhos (*kohl*) que ela usava. Ela admirava a mãe no sonho, via como era bonita e também como se parecia com ela. A mãe lhe disse que ela tinha de levar a cunhada, Sara, irmã de seu marido, ao hospital, porque estava com câncer. As associações da paciente com Sara incluíam referências à Sara do Antigo Testamento (que ela achava que era sempre vítima dos jogos de poder de Yahweh, quando este se manifestava ao seu marido Abraão). Como acontecia com muitas mulheres no Livro do Gênese, Sara tinha muita dificuldade para engravidar, talvez porque houvesse intensa supressão das religiões matriarcais centradas na Deusa. Ela era essencialmente uma mulher sem mãe do antigo patriarcado.

Quando os três anjos de Deus visitaram Abraão e lhe disseram que Sara iria conceber, ela riu. Estava com 93 anos, mas acabou mesmo concebendo e deu à luz Isaac, cujo nome significa "ela riu".

Figura 8. Eva, mãe de todos, num estado de espírito decididamente do tipo Perséfone. *Eve*, Lucien Levy-Dhurmer, 1896, pastel e guache.

Quando Deus ordenou a Abraão que sacrificasse Isaac, ele teria obedecido sem questionar e sem se preocupar com os sentimentos de Sara. Ele nem sequer lhe disse nada quando levou Isaac ao Monte Moriá para matá-lo. Também, de modo possessivo, Sara mandou embora a criada, Hagar, e o filho dela, Ismael, apesar de ter pedido a Hagar que concebesse e gerasse o filho de Abraão quando acreditava que ela própria não podia engravidar. As associações pessoais da mulher que sonhava com sua tia Sara também eram interessantes, pois ela achava que a tia Sara era um tipo materno muito egoísta, amargo, possessivo, masoquista, a qual, como era de se esperar, estava sendo devorada viva pelo câncer, a força de vida feminina devoradora que estava se voltando contra si mesma.

Como a mulher do sonho tinha conseguido dizer "não" ao marido, em sinal de respeito às suas próprias necessidades e desejos, a mãe que havia dentro dela tinha se transformado e agora estava bonita. A mãe interior tinha agora boa vontade e era capaz de ajudar a irmã do marido dela (o lado sombra de Sara) a fazer o tratamento de que necessitava para se curar. Isso não tem fim, como os círculos concêntricos que se formam num lago com a intervenção de um único seixo.

A mesma interconexão profunda e ambivalente e a necessidade de diferenciação é expressa por Adrienne Rich em seu maravilhoso livro, *Nascida de uma Mulher*.

> Eu vi o sangue menstrual de minha mãe antes de ver o meu próprio. O corpo dela foi o primeiro corpo de mulher que jamais vi, para saber o que as mulheres eram

o que eu iria ser. Eu me lembro de tomar banho com ela nos verões quentes de minha primeira infância, de brincar com ela na água fria. Quando era uma menininha, ficava pensando em como ela era bonita; na minha mente eu associava a ela a gravura da Vênus de Botticelli que havia na parede, meio sorridente, com o cabelo esvoaçando. No início da adolescência, ainda dava algumas olhadas furtivas ao corpo de minha mãe, imaginando vagamente: eu também terei seios, os quadris cheios, pelos entre as coxas – o que quer que aquilo significasse para mim na época, e com toda a ambivalência desse pensamento. E havia outros pensamentos: eu também vou me casar, ter filhos – mas não *como ela*. Vou descobrir um meio de fazer tudo isso de maneira diferente.[3]

Rich ainda acrescenta:

> Provavelmente não há, na natureza humana, nada mais ressonante do que o fluxo de energia entre dois corpos biologicamente semelhantes, um dos quais já esteve mergulhado dentro do outro em êxtase amniótico e um dos quais teve as dores do parto para dar à luz o outro. Os materiais aqui são da mais profunda mutualidade e o mais doloroso estranhamento.[4]

A meu ver, o mito de Deméter e Perséfone é o que melhor ilustra o arquétipo mãe/filha que há dentro de nós e as questões psicológicas de separação e individuação que origina. Segue um resumo do mito, que é contado de modo mais belo e mais completo no Hino a Deméter, de Homero:

> Perséfone, a amada filha de Deméter, Deusa da fertilidade, está colhendo flores com suas amigas. A Deusa da Terra, Gaia, no intuito de agradar ao Senhor dos Infernos, Hades, faz brotar um narciso. Cem botões nascem de sua raiz, uma doce fragrância se espalha em torno e Perséfone é seduzida, afastando-se das amigas. Quando se debruça para apanhar a flor, a terra se abre, surge um precipício e o Senhor dos Infernos carrega-a para o seu reino escuro.
> Deméter ouve os gritos de Perséfone, mas não sabe o que aconteceu. Ela se aflige, procura Perséfone e finalmente vai com Hécate até Hélios, o Sol, que lhe conta que Hades raptou sua filha com o consentimento de Zeus. Deméter, tomada pela dor, abandona o Olimpo e vai viver entre os homens. Vestida como uma velha, senta-se ao lado de um poço em Elêusis, onde é empregada como babá de um menininho. O bebê cresce miraculosamente. A mãe começa a desconfiar e se põe a espiar Deméter uma noite, enquanto esta segurava a criança no meio do fogo para queimar sua mortalidade. A mãe grita aterrorizada para o filho: "Eu tenho de lamentá-lo e pranteá-lo". Enraivecida, Deméter finalmente revela que é uma deusa, recrimina a mulher pela ignorância desse fato e exige que seja construído um templo em sua honra, em Elêusis.

O templo é construído e Deméter senta-se dentro dele, lamentando a filha perdida. Em sua mágoa, em sua ira, faz com que nenhum alimento cresça na Terra. Ela acabaria por destruir toda a humanidade com uma severa inanição, a não ser que Zeus forçasse Hades a devolver Perséfone.

Hermes é enviado para apanhá-la e, embora Perséfone tenha recusado qualquer alimento enquanto se encontra no reino dos mortos, ao ouvir falar em sua libertação e no encontro com sua mãe, acaba comendo três sementes de romã, assegurando assim o seu retorno ao inferno e ao seu amante, Hades, por pelo menos três meses a cada ano.

No encontro feliz e amoroso entre mãe e filha, a Terra cobre-se com um verdor novo e abençoado, e Deméter, num ato de benevolência, consagra-se a ensinar seus mistérios à humanidade.

O que me atraiu originalmente nesse mito foi a imagem violenta da terra se abrindo e o rapto de Perséfone. Essa descida forçada para o mundo subterrâneo, a violenta iniciação à sexualidade, o sentimento de ser arrastada à força, aos gritos e pontapés, para as profundezas, é uma experiência frequente das mulheres na adolescência, no amor e na análise. Esse sentimento, e os elementos simbólicos do mito de rapto e sedução de Deméter/Perséfone, aparecem com tanta frequência nos sonhos das mulheres que parecem ser uma parte essencial, natural e orgânica do processo de individuação e separação das mulheres.

Deméter é, a meu ver, *a mãe*, resumindo nas mulheres a característica maternal que tem sido enaltecida em nossa habilidade singular para alimentar e apoiar tudo aquilo que é jovem e que está em desenvolvimento nos outros. Em seu ensaio, "Deusas no meio de nós",[5] Philip Zabriskie mostra que é esse tipo de atitude materna que incentiva a autoaceitação que leva uma menina a dizer "fico feliz em ser eu mesma". Essa mesma característica maternal tem sido infindavelmente deplorada em romances e teorias psicológicas em razão de seus efeitos de ansiedade, superproteção, masoquismo, efeitos paralisantes, que induzem à culpa e são motivados pelo poder.

Neumann descreve isso como o caráter elementar do feminino. "É a Grande Esfera ou o Grande Recipiente. Ela tende a se agarrar a tudo aquilo que nasce dela e a envolvê-lo como uma substância eterna. Tudo o que nasce dela lhe pertence e permanece sujeito a ela; e mesmo que o indivíduo se torne independente, o Feminino Arquetípico *relativiza* essa independência numa variante não essencial de seu próprio ser perpétuo."[6]

Deméter contém dentro de si sua Perséfone, um aspecto de si mesma que é jovem, inocente, virginal e protegido, e que busca uma nova experiência sensual – a flor. Sentimos que sua inocência precisa ser extinguida. Gaia, a forma mais velha da Terra mãe, faz a flor crescer para Hades. É como se a natureza, num nível mais profundo e mais antigo, aceitasse a necessidade da violenta revolta da mudança.

O rapto e a sedução roubam de Deméter (ou da característica maternal em nós mesmas) sua característica virginal e inocente. Quando somos *excessivamente maternais* em relação a um homem, a filhos, amigos, amantes – a qualquer um, até mesmo a coisas ou projetos –, acabamos sentindo a banalidade, a convencionalidade, a excessiva leveza e doçura, a delicadeza. Essa generalidade precisa ser atravessada pela experiência vertical que impulsiona para baixo, a experiência do rapto e sedução executada por Hades, uma experiência do mundo subterrâneo que traz consigo uma conexão com o "aspecto transformador do feminino".

    Mas isso leva ao final feliz um pouco rápido demais. Primeiro, temos a reação de Deméter à necessidade de mudança – uma raiva forte e triste que se volta contra ela própria. Ela se retira. Uma de minhas pacientes, um tipo maternal – que estava precisando comemorar seu aniversário e que tinha um amante que não correspondia às suas expectativas –, deprimida, cansada demais para fazer algo por si mesma fantasiou que comprava um perfume para mim, não para si mesma, e que no ano seguinte ficava longe de casa e dos amigos no seu aniversário de modo a não ficar decepcionada. Esse é um comportamento típico de Deméter. Ela se torna babá do bebê de outra mulher. Quando é impedida de efetuar sua sublimação – sua tentativa de torná-lo divino e imortal –, ela estoura e, finalmente, "transforma-se" em si mesma – uma Deusa. Ela exige obediência, reconhece quem é e diz o que quer. Esse é o verdadeiro momento decisivo no mito e, psicologicamente, a época em que sacrificamos o amor fácil e a aprovação que conseguimos por sermos boas garotas ou boas mulheres, e reconhecemos e exprimimos nossos próprios desejos e necessidades.

    Outra paciente casou-se com um homem narcisista, muito parecido com sua mãe, um homem incapaz de amá-la. Ela finalmente acabou por lhe dizer que não podia mais viver com ele. Durante seu longo casamento, ela crescera em amorosa autoaceitação e descobrira que poderia atender às suas próprias necessidades com alegria e facilidade. Logo em seguida estabeleceu, com outro homem, um relacionamento profundamente amoroso, repleto de doação e aceitação. Ela teve o seguinte sonho:

> Estou subindo a rua onde havia estado com meu novo amante para ir ao encontro de meu marido. Quando saio do táxi, percebo que esqueci de trazer minhas coisas para passar a noite. (Ela não tinha passado a noite com o amante porque temia ser rapidamente dominada por seus sentimentos em relação a ele.) São seis horas. Hora do *rush*. Preciso correr para meu marido. Acho que posso voltar para pegar minhas coisas mais tarde. Descubro meu marido num apartamento de três cômodos. Ele se encontra num banheiro esterilizado, com azulejos brancos. Está sentado na ponta da tampa fechada do vaso sanitário, todo encolhido, nu, com os joelhos para cima, na posição fetal dos cadáveres que, segundo ouvi falar, foram deixados por um ano nas cavernas perto de Jerusalém durante os séculos I e II. Cheguei no momento exato. Sinto que ele não está morto nem vivo. Estendo o braço e toco-lhe o rosto com a palma da mão. Ele não está quente nem frio. Tomo suas mãos nas minhas e puxo-o para a vida pela última vez. Então, chega a hora de deixá-lo. Atravesso o espaço central e entro no quarto

dos fundos. Lá, envolvida num brilho numinoso cor-de-
-rosa e dourado, encontra-se uma jovem de 14 anos. Uma
virgem, num casulo ou acolchoado de seda. Agora, eu
tenho de ficar com ela.

Esse sonho marcou o fim do seu casamento de morte, um
casamento sem amor, ligado à mãe, e o início de sua nova vida,
leal para consigo mesma.

Quando Deméter conseguiu utilizar sua raiva ardente, que
lhe fora dada pelos deuses, e o seu poder de alimentar para
exigir que Perséfone lhe fosse devolvida, o nó masoquista foi
quebrado. Esse nó consiste em fazer as coisas para os outros, em
não ser reconhecida, ficar com raiva, deprimida, cheia de auto-
piedade, mal-amada mas sem amar a si mesma o suficiente para
fazer o que se quer. Deméter diz "não", finalmente, "não, nada
para ninguém" até ter a filha de volta!

A última parte da história psicológica, que eu adoro, *é* que
Perséfone então *opta por* comer as sementes de romã, reconhe-
cendo assim que ela agora é diferente. A característica Deméter/
Perséfone *é* mais diferenciada e foi transformada pela experiência de Perséfone no mundo subterrâneo, assim como pela
vida de Deméter na Terra, e as duas, portanto, ficarão separadas
por vários meses todos os anos.

O mito de Deméter/Perséfone é uma história muito antiga
e mostra como as coisas ocorrem psicologicamente entre mãe e
filha no nível mais básico. Em épocas mais recentes, as histórias
do Antigo Testamento documentam as dificuldades que o arquétipo da mãe sofreu na transição das antigas culturas centradas

na deusa até o costume patriarcal judeu-cristão. O livro do Gênese está repleto de histórias de velhas senhoras relacionadas à questão da mulher. Sara, Raquel e Hannah tiveram muita dificuldade para conceber. Elas não podem rezar abertamente e à Deusa-Mãe, embora saibamos que o fizeram. Eva, Sara, Raquel, Rebeca e a mãe de Moisés, cujo nome não é mencionado, sofrem a perda e o estranhamento de seus filhos. A maternidade é difícil de conseguir e, no que se refere aos filhos, é marcada por perda e separação dolorosa. Dificilmente são contadas histórias de mães e filhas. A mulher de Lot olha para trás, torna-se uma estátua de sal e suas filhas acabam embebedando e seduzindo o pai. A mãe de Moisés envia sua filha, Mirian, para acompanhar o irmão ainda bebê e, mais tarde, ele a maltrata.

O Livro de Ruth oferece uma profunda compreensão do problema de mães e filhas sob o patriarcado, onde há negligência e deterioração dos valores femininos e onde se acredita que um Deus essencialmente masculino criou tudo sozinho. Ele conta a história de Naomi, que, com o marido e os dois filhos, é forçada a abandonar a Judeia devido à escassez de alimentos e vai morar em Canaã, onde a Deusa-Mãe ainda é adorada. Lá, os dois filhos se casam com mulheres canaanitas. No final, todos os homens morrem, espalhando novamente a penúria do patriarcado na Judeia, e Naomi fica com as duas noras canaanitas. Ela deseja voltar para a Judeia e insiste com as noras para ficar em sua própria terra, dizendo que ela própria se sente estéril e que não tem mais filhos para oferecer-lhes. Oprah fica, mas Ruth diz "para onde fores, também eu irei", adotando assim o novo sistema de valores patriarcal. Assim, a mãe hebreia e a filha canaanita viajam juntas para a Judeia. Lá, quando os velhos amigos de Naomi a reconhecem e a chamam pelo nome, ela responde: "Não me chamem Naomi, eu sou *Mara*" (mais tarde, Maria) – com amargura, exprimindo a sensação de amarga perda, vazio e desespero da mãe sob o patriarcado.

Ruth começa a trabalhar na colheita, nos campos de milho de Boaz, parente de Naomi. Lembrem-se de que Deméter era a deusa do milho. Levantar a espiga de milho era o centro simbólico de seus mistérios, tais como eram celebrados em Elêusis. Naomi ajuda Ruth a seduzir Boaz para que se case com ela. Ela diz a Ruth para deitar-se com ele no campo de debulhação na época da colheita, lembrando os antigos ritos de fertilidade relacionados à deusa. Assim Boaz se torna consciente de seu desejo por Ruth, eles se casam e se tornam os pais de Jessé, pai de Davi, o qual, com Betsabeia, põe no mundo o sábio rei Salomão.

Na história de Ruth e Naomi, observam-se os ricos resultados da união entre a religião canaanita, que gira ao redor da deusa, e os costumes patriarcais judeu-cristãos. Em termos da psicologia das mulheres modernas, os dois mitos – o de Deméter e Perséfone, e o de Ruth e Naomi – vivem dentro de nós. Quase se pode sentir a história de Ruth e Naomi como uma sequência, um quadro do que acontece entre Deméter e Perséfone quando elas têm sua reunião de cura anual.

3

HETAIRAS, AMAZONAS E MÉDIUNS

O oposto da característica da mãe é a hetaira, descrita por Toni Wolff.[1] A hetaira é geralmente a filha do pai. É aquilo que nos tornamos quando temos um complexo materno negativo e queremos ser qualquer coisa, mas "não como *ela*". Eis aqui uma mulher do tipo hetaira descrevendo o tipo mãe: "A sra. Pontellier não era uma mulher-mãe. As mulheres-mães pareciam prevalecer em Grand Isle naquele verão. Era fácil reconhecê-las, saracoteando com as asas protetoras abertas quando algum mal, real ou imaginário, ameaçava sua preciosa ninhada. Eram mulheres que idolatravam os filhos, adoravam os maridos e consideravam um privilégio sagrado anular-se como pessoas e deixar crescer suas asas como anjos servidores".[2]

A mulher hetaira, tendo Afrodite como deusa, faz despertar a vida subjetiva individual em si mesma e nas outras, transmitindo um sentido de excepcionalidade e valor, às vezes inspirando os outros a realizar coisas maravilhosas (ver figura 9). Lou Andreas-Salomé, a amante de Nietzsche, de Rilke e talvez de Freud, é um clássico desse tipo. A armadilha psicológica da hetaira consiste, em primeiro lugar, no fato de que a mulher que vive a vida como "nada, a não ser *anima*" é, ela própria, insatisfeita e pode utilizar seu considerável poder de maneiras destrutivas e enganadoras. Um tipo de mulher hetaira, inconsciente e não desenvolvido, geralmente se perturba com seu rastro autodecepcionante e autodestrutivo de relacionamentos rompidos, amigos e amantes magoados, zangados e desiludidos e com sua própria esterilidade. A clássica história da mulher tipo hetaira inconsciente e seu relacionamento com a filha ou com a própria criatividade é Branca de Neve. Aqui, o narcisismo invejoso e danoso da mãe hetaira envenena repetidamente o desenvolvimento de tudo o que é novo ou criativo. Os diários de Anaïs Nin[3] exemplificam os problemas da mulher hetaira típica. Os primeiros dois diários têm uma perspectiva feminina e criativa. Nin está escrevendo para ou pelo pai distante. O desejo de entrar em contato com o pai é uma forma de energia do *animus* que a domina por algum tempo e que a salva, de início. Do mesmo modo, no famoso conto de fadas, a mãe contrata um caçador para matar Branca de Neve, mas em vez disso ele salva Branca de Neve de uma morte prematura, garantindo-lhe pelo menos uma oportunidade de continuar a viver. No fim do volume II, Nin perde seu ímpeto e abre mão de seu estilo pessoal para agradar Renée Allenby (seu primeiro analista), dá a máquina de escrever e o trabalho que vinha desenvolvendo para Henry Miller, abandona o lar e seu país e parte para os Estados Unidos atrás de Otto Rank (seu segundo analista) como secretária. Do mesmo modo que Branca de Neve, que trabalha arduamente para os sete anões, ela repetidamente acaba sendo vítima dos aspectos negativos da característica feminina de hetaira. A mulher tipo hetaira não desenvolvida escolhe homens que têm um medo virulento, inconsciente e venenoso das mulheres.

Em seus últimos diários, Nin escreve invectivas frias, levianas, repetitivas, narcisistas e egoístas contra seus críticos, antigos amigos e amantes. A característica hetaira numa mulher deve ser comprometida com um encontro heroico com seu próprio *animus*, senão ela transformará suas criações – suas filhas – em tolas Brancas de Neve dentro de redomas de vidro, indefinidamente à espera do beijo do príncipe para acordá-las e libertá-las. (Ver figura 10.)

A mãe e a hetaira são os arquétipos mais famosos, mais evidentes e mais culturalmente aceitáveis do feminino. São polos

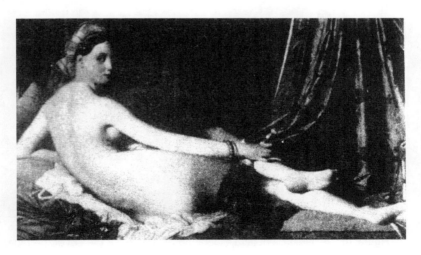

Figura 9. A mulher hetaira, com Afrodite como deusa. *La Grande Odalisque*, Jean-Auguste Dominique Ingres, 1814, óleo sobre tela. Louvre, Paris.

opostos da característica eros do feminino, ou aquela que estabelece relações. A mãe se relaciona com as pessoas de modo coletivo, enquanto a hetaira se relaciona de modo individual. (Ver figura 11.)

No outro eixo do esquema de Toni Wolff, o dos valores não pessoais, encontram-se a amazona e a médium. A característica

Figura 10. As filhas da hetaira esperando friamente para serem despertadas. *The Village of the Mermaids,* Paul Delvaux, 1942, óleo sobre painel. Art Institute of Chicago.

amazona está presente na mulher na medida em que ela funciona independentemente e encontra prazer naquilo que faz e realiza. Sua personalidade frequentemente é formada em seu bom relacionamento com a mãe e no encorajamento do pai e/ou do *animus* da mãe. Essas características de independência, orgulho das realizações e um sistema de valores essencialmente feminino são difíceis de se encontrar na nossa cultura, embora esperemos que isso esteja mudando.

As antigas amazonas, no entanto, tiveram de sacrificar um dos seios para melhor dirigir suas flechas ao alvo. As deusas aqui são as deusas virgens, Ártemis e Atena. As mulheres modernas desse tipo, tais como Coco Chanel e Elizabeth Arden, começaram dirigindo negócios bem-sucedidos nas áreas de moda e cosméticos. Eu também acrescentaria Colette, devido à sua tremenda realização como autora que escreveu como mulher. Embora tenha tido muitos maridos e amantes, tanto do sexo masculino como do feminino, sua identificação primária como a "filha de uma mãe" permaneceu um ponto central em toda a sua vida. Para o tipo de mulher amazona, o feito predomina, mas ele sempre vem do ser.

Psicologicamente, para uma mulher desse tipo, o perigo é ser tiranizada pelo *animus* do poder, adaptando seu sistema de valores e perdendo sua perspectiva essencialmente feminina. Esse *animus* de poder talvez apareça sob a forma de um homem que é um líder carismático, de uma ideia ou de um sistema de crenças, ou de uma companhia ou corporação. A grande enfermeira de *Um Estranho no Ninho*[4] é um exemplo da mulher tipo amazona possuída pelo *animus*, não desenvolvida, inconsciente.

Figura 11. Os polos dos arquétipos femininos. Adaptado do esquema de Toni Wolff, no ensaio "Structural Forms of the Feminine Psyche", disponível em folheto na Biblioteca Kristine Mann, 28 E. 39th Street, Nova York, NY 10016.

O último dos quatro tipos é a médium. Como diz Toni Wolff, "a mulher medial está imersa na atmosfera psíquica do seu meio ambiente e no espírito da sua época, mas, acima de tudo, no inconsciente coletivo, impessoal".[5] É essa característica medial em nós mesmas que nos coloca em contato com o profundo abismo lunar do feminino. Essa qualidade de mediadora é essencial em nossos relacionamentos com as outras pessoas e em nossos relacionamentos com ideias e pensamentos. Aquilo que chamam "pensamento feminino", "intuição feminina", "pensamento empático", "consciência difusa" ou "uma voz diferente" *é* o modo de conhecer baseado nessa característica mediúnica do feminino. A mulher individual que funciona primariamente como tipo mediúnico deve ser consciente e ter um forte ego feminino para canalizar a terrível responsabilidade de estar em contato com esses conteúdos psíquicos. Quando a estrutura do ego é fraca, o tipo mediúnico de mulher pode ser violentado pelo que ela vê e torna-se psicótico, como acontece no romance de Par Lagerkvist, *A Sibila*.[6] Nele, os sacerdotes invejosos dos poderes mediúnicos da mulher tramam sua morte. (Ver figura 12.)

O arquétipo da médium é ainda mais importante para as mulheres em seus relacionamentos consigo mesmas, ou seja, em sua própria jornada psicológica em direção à inteireza. De muitas maneiras, a deusa Héstia é uma imagem da alma mediúnica para as mulheres. Ela é médium, assim como Deméter é mãe. Ela é Sibila, fada madrinha, Baba Yaga, fiandeira e tecelã.

Uma mulher sonhou que estava numa terra maia, num templo das Virgens da Lua, e aproximou-se da sua analista, uma mulher mais velha altamente intuitiva chamada "a contadora de histórias", no sonho. A paciente pediu à sua analista para lhe contar uma história, e a sábia mulher retrucou: "Você deve se tornar sua própria contadora de histórias". Naquele momento, como pela magia de uma fada madrinha, a paciente viu em sua mente exatamente o caminho que ela precisava seguir para tornar-se sua própria médium ou contadora de histórias.

A deusa Héstia tem muito da característica mediúnica.[7] Héstia foi cortejada por Posídon e por Apolo, mas jurou, pela cabeça de Zeus, manter-se virgem para sempre. Como gratidão a ela por preservar a paz do Olimpo, Zeus ofereceu-lhe um belo privilégio, em vez de um presente de casamento: ela se sentaria no centro da casa para receber as melhores oferendas. A lareira

Figura 12. O arquétipo da medium. *The Delphic Sybil,* Michelangelo. Capela Sistina, Vaticano.

ficou sendo seu altar, mas não houve estátuas para marcar sua presença como uma divindade pessoal. A lareira e a deusa da lareira são uma só. O nome Héstia significa "lareira" e é derivado da raiz sânscrita *vas*, que significa "brilhante". O elemento fogo foi encarado como puro e divino em seu próprio direito e acrescentou santidade à lareira. Na Grécia antiga, em todos os lugares onde o fogo estava aceso, num altar ou lareira, doméstica ou pública, Héstia estava presente, não como uma deusa pessoal, mas como um poder divinamente imanente. Ela parece não ter a característica antropomórfica dos outros deuses do Olimpo, mas ter surgido numa época anterior, animista ou pré-animista, de um mundo antigo de numinosidade e magia.

Em Delfos, onde Héstia era adorada, a pilha de carvão tornou-se o *omphalos* ou mestre do navio, frequentemente pintado nos vasos gregos, marcando o suposto centro do mundo. Esse objeto sagrado está inscrito com o nome de Mãe Terra. Na época clássica, a Pitonisa tinha um sacerdote auxiliar que a induzia ao transe queimando cânhamo, louro e cevada nas cinzas quentes do monte de carvão. Esse monte, às vezes, era colocado numa mesa de argila redonda de três pernas pintada de vermelho, branco e preto, as cores da Lua.

Ovídio explica a forma redonda do Templo de Vesta (o nome romano de Héstia) da seguinte maneira: "Comenta-se que essa é a sua forma há muito tempo por uma razão muito boa. Vesta é o mesmo que a Terra: no centro delas, há um fogo perpétuo; a Terra e a lareira são símbolos do lar". Ele continua exaltando suas características equilibradas, centradas, identifica Vesta com a lareira e também com a chama sagrada e observa que não havia imagens de Vesta no Templo, apenas a chama imortal na lareira. A lareira ou *focus*, como ele diz, é assim chamada porque favorece todas as coisas.[8]

A profunda significação psicológica da deusa Vesta para as mulheres é sugerida por uma estranha história contada por Ovídio. Em meio às suas descrições das várias cerimônias religiosas romanas e dos fatos históricos, ele conta o seguinte:

> Aconteceu que, no festival de Vesta, eu estava retornando por aquela via que agora liga o Caminho Novo ao Forum Romano. Então eu vi uma matrona descendo descalça: espantado, detive o passo e parei. Uma senhora da vizinhança notou-me e, pedindo que eu me sentasse, dirigiu-se a mim num tom trêmulo, sacudindo a cabeça. Esse terreno onde agora se encontram os fóruns foi uma vez ocupado por pântanos: foi criado um fosso com a água que transbordou do rio. Aquele Lago de Curtius, sobre o qual se levantam altares secos, é agora terreno sólido, mas antigamente era um lago. Lá onde agora as procissões costumam desfilar através do Velabrum até o Circo, havia apenas salgueiros e taquaras ocas... Aquele Deus cujo nome é apropriado a várias formas ainda não o havia derivado do represamento do rio. Aqui, também, havia um bosque cerrado com juncos e bambus e um pântano que não devia ser pisado com pés calçados. As poças desapareceram, o rio confina suas águas ao limite dos bancos e o solo agora está seco; mas o velho costume persiste.

Aqui percebemos que há um significado oculto especial da deusa Héstia ou Vesta que nos leva a tempos mais remotos; épocas de pântanos, água e vegetação; épocas que ainda têm significado para as mulheres que andam com os pés em contato com a terra.

A escolha de Héstia/Vesta, no sentido de permanecer virgem, una em si mesma e não diretamente relacionada com um homem, foi incorporada pelas leis romanas que governam as Virgens Vestais. Se uma Vestal quebrasse seu voto de castidade, era despojada de seu véu sagrado e enterrada viva. Creio que a base dessa expiação específica reside na identificação primária da deusa Vesta com a Terra. Ao enterrar viva a Vestal, a própria deusa torna-se a juíza da culpa ou da inocência da mulher e serve de medida para sua própria punição. Essa imagem é central para o significado da característica "virgem" ou "una em si mesma" para a mulher. O conhecimento de sua fé naquilo em que ela está empenhada não pode ser julgado por leis humanas ou por seu próprio *animus*.

A qualidade de ser verdadeira para consigo mesma, exemplificada pela deusa Héstia, é descrita de modo comovente no ensaio de Irene de Castillejo, "Imagens da Alma das Mulheres". Ela define a alma como o "cerne essencial da pessoa" e "a essência imortal que transparece nos olhos de um bebê".[9] Ela está falando daquilo que toda mulher sabe intimamente que é verdadeiro e que não deve ser traído. Esther Harding descreve o significado psicológico da Virgem como algo que *é* verdadeiro em relação ao próprio sentimento da pessoa, não a um contrato ou princípio.[10] A necessidade psicológica de ser verdadeiro consigo mesmo tem uma significação prática particular para as mulheres que são convocadas para atender às necessidades dos filhos, do marido, dos amantes e dos outros. Tenhamos em mente que Héstia era a primeira das deusas, lembrada antes e depois de cada refeição e sempre presente no centro da casa. Sua primazia e onipresença apontam para sua necessidade e centralidade no desenvolvimento espiritual de uma mulher.

Uma mulher em seu aspecto de Virgem sacrifica o relacionamento pessoal com um homem a fim de obter um relacionamento mais profundo com a própria alma. Ovídio explica o seguinte: "Conceba Vesta apenas como a chama viva e verá que nenhum corpo nasce da chama. Portanto, ela é decerto uma virgem que não dá nem recebe sementes e ama os companheiros em sua virgindade".[11] Às Vestais era exigido que cortassem os cabelos quando entravam para o serviço de Vesta, e suas tranças cortadas eram penduradas numa antiga árvore de Lótus. Ao sacrificar seus cabelos, a coroa gloriosa que simbolizava sua atração sexual por um homem, a sacerdotisa adquiria uma sabedoria feminina mais profunda através de sua adoração por Vesta. Em sua ode a Héstia, Homero a descreve como a deusa "que assombra a casa sagrada do rei Apolo no oráculo de Píton (Delfos) e de cujas madeixas sempre gotejam unguentos lustrosos".

Héstia, a lareira, untada com os óleos dourados dos sacrifícios, é personificada com uma cabeleira que oferece sabedoria aos que se sacrificam por ela.

Outra história de Ovídio demonstra o papel do sacrifício e da purificação na psicologia feminina. Ele escreve que, quando teve uma filha, perguntou qual era a época própria para que ela se casasse: "Foi-me revelado que junho, depois dos Idos sagrados, é uma boa época para as noivas... a esposa sagrada do Flamen Dialis assim me falou: até que o calmo Tibre tenha carregado consigo, até o mar, em sua correnteza amarela, o filtro do Templo de Illian Vesta, não me é permitido pentear os cabelos com um pente dentado, nem cortar as unhas com ferro, nem tocar meu marido... Tu, também, não tenhas pressa; tua filha fará um bom casamento quando o fogo de Vesta brilhar num chão limpo".[12] O costume de casar-se em junho sobrevive até hoje porque é de bom augúrio para a noiva.

Os sacrifícios exigidos da sagrada Flamenica Dialis até depois dos ritos de purificação do Templo de Vesta aumentam nossa noção da importância desses mistérios, que só estavam abertos às mulheres casadas, as quais aparentemente mais precisam deles psicologicamente. De 9 até 15 de junho, o armazém que ficava no interior do templo permanecia aberto. A água sagrada recolhida de uma fonte sagrada era colocada em vasos feitos especialmente com o fundo estreito de modo a poderem ser pendurados num suporte, o qual impedia que a água sagrada entrasse em contato com o terreno profano. Bolos de sal preparados ritualmente eram dissolvidos na água. Os cereais, colhidos pelas Virgens Vestais mais antigas em certos dias no início de maio, eram torrados, triturados, moídos, misturados com o sal especialmente preparado e oferecidos a Vesta.

No ritual das Vestálias temos várias imagens importantes. A *solutio* do sal na água sagrada e sua mistura ritual com o grão faz-nos lembrar das palavras de Jung sobre o significado do sal no *Mysterium Coniunctionis*. O sal é a alma feminina: "Ele representa o princípio feminino de Eros, que faz tudo se relacionar de um modo quase perfeito... suas propriedades mais evidentes são o amargor e a sabedoria".[13]

A água é um presente do paraíso e o grão é um presente da terra; cada um deles é misturado com o sal, a *anima mundi*. Só podemos ter uma ideia do profundo significado psicológico dos rituais das Vestalias; não podemos elucidá-los. Eles são elementos de sacrifício, de purificação, de transformação e, acima de tudo, de mistérios.

No início do ano novo, em março, o fogo sagrado no Templo de Vesta era reaceso com o uso de uma broca de madeira. O fogo saía de uma tábua lisa com um buraco, que era levada pelas Vestais, e uma vareta fálica, que representava o deus do fogo, Pales, que era friccionada contra a tábua pelo Sumo Pontífice. Isso produzia uma chama que só podia ser acesa pelo sopro de uma Virgem. Nessa imagem reside o significado mais profundo da adoração da deusa Vesta, cujo nome significa "brilhante". A mulher que é autêntica em relação à sua própria alma feminina pode ser conduzida à experiência do *Hieros Gammos*, o casamento sagrado.

A madeira é um receptáculo da potência feminina, sua centelha de alma é liberada pelo princípio masculino impessoal no ato ritual da *coniunctio*.

Há um renascimento aqui, que ocorre nove meses após os mistérios das Vestálias. Essa sincronicidade sugere que o processo de introversão e transformação iniciado nos mistérios das Vestalias resulta na regeneração. No *Mysterium Coniunctionis*, Jung cita a *Cantilena de Ripley*, na qual a rainha, depois de ser fecundada pelo velho rei estéril e moribundo, "vai para o seu casto quarto... ordena que todos os estranhos saiam, tranca a porta do quarto e dorme sozinha. Enquanto isso, a mulher da Carne dos Pavões Comeu e Bebeu o Sangue dos Leões Verdes".[14]

A amplificação que Jung faz do texto torna claro que a dieta de gravidez da rainha consiste nos próprios atributos da deusa; a capacidade de assegurar o renascimento é simbolizada pela carne do pavão e pelo sangue ou *aqua permanens*, a substância úmida da alma. Há paralelos evidentes e esclarecedores com os significados do cereal, do sal e da água utilizados nos ritos das Vestálias. Além disso, tanto na Cantilena como nas Vestálias, os elementos da profunda introversão e a partilha da própria natureza feminina da pessoa são essenciais à experiência de regeneração e renascimento. Certamente, há um imperativo psicológico implícito nessas receitas para a mulher de hoje em sua capacidade de mediar materiais, ideias ou trabalhos mais profundos e recônditos.

4

IRMÃS E SOMBRAS

Quando as culturas matriarcais que giravam ao redor da deusa foram eclipsadas pelos yahwehistas patriarcais, o aspecto feminino da divindade foi suprimido por muito tempo. Devido a essa negligência, à rejeição e supressão dos valores femininos, as mulheres que se tornaram mães sob o patriarcado foram incapazes de dar aos filhos o amor incondicional e a aceitação que resulta em seres humanos íntegros, saudáveis, seguros, estáveis e maduros. Em épocas recentes, tem havido um retorno à deusa, refletido na maior aceitação cultural dos métodos de saúde holísticos, na alimentação natural, na proteção ao meio ambiente, na experiência mística e espiritual e nos modos de pensamento e expressão não lineares e cíclicos.

Tem havido um revalorização do feminino e já iniciamos um processo de aceitação que vem do *Self* feminino. Já começamos a conhecer uma espécie de irmandade que cura e alimenta, abraça e aceita.

Nos mitos gregos, deusas e mulheres competem entre si. (Ver figura 13.) Alguém atira uma maçã de ouro pela janela, "para a deusa mais bela", e Atena, Afrodite e Hera se pegam pela garganta.

Há o ciúme sem fim de Hera em relação às amantes de Zeus. Há disputa entre Atena e a menina Aracne no que se refere a

Figura 13. Irmã e sombra. Extraído de *Women: A Pictorial Archive from Nineteenth-Century Sources*. Nova York: Dover Publications.

talento artístico e criatividade, e entre Afrodite e a amante de seu filho, Psiquê.

No Antigo Testamento, as mulheres também competem: duas irmãs, Raquel e Lia, são filhas de Labão. É claro que não existe uma mãe. Jacó se apaixona por Raquel, mas é levado por Labão a se casar com sua irmã, Lia, mais velha e mais feia. As irmãs acabam competindo pelo amor de marido e filhos, pela manipulação do pai. Foi assim que aconteceu. As mulheres vêm sofrendo há muito tempo em secreto isolamento, separadas umas das outras, mãe e filha, irmã e amiga, numa cultura patriarcalmente definida. Fomos separadas em garotas boas e más, bonitas e feias, velhas e moças, casadas e solteiras, ricas e pobres, e assim por diante.

Essas dualidades e opostos são sombreados pelo rumor constante de que, no escuro somos todas iguais, ou seja, de que todas temos vagina, embora não seja exatamente essa a palavra utilizada. Por muito tempo, as mulheres sofreram por causa dessa definição excludente, denegridora, negativa, numa vergonha separada e silenciosa. Quando, no fim dos anos 1960, explodiu o rugido da ira feminina suprimida, rejeitada e negligenciada, as mulheres passaram a exprimir um pouco de sua raiva pessoal e de sua fúria divina, e começou a brotar, de uma cornucópia de autoexpressão feminina, arte, literatura, teatro, filosofia. As mulheres passaram a ler outras mulheres, a ouvir outras mulheres, a ver outras mulheres, a amar, a apreciar, a valorizar, a alimentar outras mulheres, a se preocupar com outras mulheres. A Irmandade se reuniu. Como escreveu Monique Wittig em *Les Guerillières*:

Houve um tempo em que você não foi escrava, lembre-se disso. Você andava sozinha, repleta de alegria, tomava banho com a barriga de fora. Você diz que perdeu completamente a lembrança disso, lembre-se... diz que não há palavras para descrever isso, que isso não existe. Mas lembre-se. Faça um esforço para se lembrar. Se não conseguir, invente.[1]

Descobrimos a cura, a alegria redentora de encontrar nossas próprias sombras, não as projeções dos outros, mas as nossas *próprias* partes não aceitas – aquelas que habitualmente arremessamos sobre nossas irmãs sob a forma de projeções negativas, competitivas. Filmes antigos – como *As Mulheres, A Grande Mentira, Velhas Amizades* –, populares em sua época, opõem a moça boa e a má, a loira e a morena, a "Betty" e a "Veronica". As mulheres são falsas, traidoras e não merecem confiança. Raramente são mostradas numa amizade leal, amorosa, estimuladora, embora eu imagine que na vida real esses relacionamentos certamente tenham existido.

Devido à supervalorização cultural do masculino e à desvalorização do feminino, as mulheres frequentemente ficam desapontadas e são magoadas por mães que não puderam ou não quiseram amá-las, assim como podiam amar inteiramente a si próprias. Naturalmente, essas jovens mulheres se voltaram, famintas de amor, para os pais e, mais tarde, para os amigos e maridos, de modo excessivamente compensatório. Os romances dos anos 1950 *O Grupo*,[2] *O Melhor de Tudo*,[3] e a história de Martha Quest escrita por Doris Lessing em cinco volumes,[4] detalham a intensa busca que as mulheres empreenderam em direção ao amor e à aceitação dos homens. As meninas cresceram esperando amar, casar-se e viver felizes para sempre, e *nós*, com certeza, tentamos fazer exatamente isso. *A Sala das Mulheres*,[5] *A Mística Feminina*,[6] *Memórias de uma Ex-Rainha dos Estudantes*,[7] *Diário de uma Dona de Casa Enlouquecida*[8] são os testemunhos daquelas que tentaram, que realmente tentaram encontrar o amor e a autoaceitação saudáveis nos olhos e nos braços de um marido. Isso não funcionou, principalmente porque nos casamos com homens que também só tiveram mães que os magoaram e nós precisávamos que eles fossem as nossas fadas madrinhas. Freud estava errado; não nos casamos com nossos pais. Nós nos casamos com nossas mães e, de novo, só encontramos aceitação parcial, amor condicional e oceanos de lágrimas, de decepção, de autocrítica e de desespero.

Somente nos anos 1960 é que homens e mulheres começaram a se separar a fim de retirar uns dos outros as projeções dos elementos contrassexuais que havia em si mesmos, a fim de integrar em si esses elementos e finalmente tornar-se mais íntegros e humanos em relação uns aos outros. Os românticos entre nós podem se perguntar se todos esses novos bebês que aparecem nas ruas, levados nas costas ou no peito de mães e pais, não seriam os frutos dessa nova *coniunctio* de homens e mulheres.

Por outro lado, as mulheres também aprenderam que a cura profunda vem de sua conexão com o *Self* feminino, ou com a deusa, ou com Shekiná, o lado feminino de Deus que reside dentro de nós. As mulheres descobriram que podem atrair o olhar desse *Self* feminino espelhado nos olhos de outras mulheres, amigas e irmãs. Nesse sentido, mesmo nossas mães se tornaram nossas irmãs, como na história de Ruth e Naomi.

A amizade entre as mulheres cresceu. Ela sempre existiu, subterrânea, mas agora é posta para fora e está aberta e conscientemente valorizada. Muitas mulheres sabem disso e confiam umas nas outras o bastante para dizer "você me magoou quando..." ou para perguntar "o que você quis dizer com..." e dizer "estou zangada com..." ou, ainda, "preciso da sua ajuda para...", "estou preocupada com..." ou "estou confusa ou vulnerável". Elas sabem que todas essas são expressões mágicas para apelar para as deusas em suas modalidades clara e escura, negativa e positiva, elementar e transformadora. Minha amiga, uma analista junguiana, tornou isso claro para mim, uma vez, ao me contar a imagem que tinha daquilo que fazíamos juntas e com nossas pacientes. Ela disse que a transferência entre as mulheres acontece quando duas de nós damos as mãos e dançamos como loucas em volta de um caldeirão. Não foi exatamente isso que ela disse, mas acho que você vai compreender e aceitar o fato de eu não citá-la corretamente e dizer, em vez disso, o que eu ouvi. Isso faz parte do processo entre mulheres e irmãs. Há espaço para fundir e obscurecer os limites, agora que cada uma de nós pode manter o seu próprio centro.

Como as mulheres agora podem começar a aceitar sua irmandade subjacente e sua conexão com o *Self* feminino, também podem lutar junto com uma amiga e retirar a própria sombra no processo. As mulheres podem confiar umas nas outras e em si mesmas o bastante para mostrar suas necessidades e vulnerabilidades a outras mulheres e ser espelhadas e alimentadas umas pelas outras. Há pouco tempo, estive com uma paciente cujo tipo é bastante oposto ao meu. Ela é do tipo pensamento e sensação. Enquanto explicava algo a respeito de si mesma, eu senti como se estivesse me transformando em uma batata marrom com raízes brancas, que se unia a ela e a abraçava. A mãe dela tinha sido uma médica extremamente narcisista, preocupada consigo mesma que (felizmente) nunca estava em casa enquanto a menina crescia. De repente, minha paciente compreendeu a si mesma. Ela entendeu o que estava tentando fazer. Ficou radiante, muito bonita, e disse: "Ora, acabei de me lembrar. Minha mãe tinha uma penteadeira com um espelho móvel de três partes. Quando eu era menina, antes mesmo da idade escolar, costumava me sentar rodeada pelos três espelhos, conversando comigo mesma durante horas. Era formidável. Eu compreendia tudo daquele modo". Essa mulher tem estado tão isolada das outras mulheres que não tem amigas com quem partilhar as coisas. Enquanto eu, geralmente a pessoa brilhante, viva, intuitiva, me transformava na batata escura, parda, sólida, ela conseguira tornar-se, pelo menos por um momento, a mulher brilhante, feliz, sensível.

    As irmãs tornam-se mães e as mães tornam-se irmãs nesses relacionamentos e processos. As mulheres servem de mães, de espelho e de irmãs umas para as outras, alternadamente e às vezes as duas ao mesmo tempo. Trabalhar para fazer irmãs e curar a inteireza dos aspectos da própria sombra é algo que pode ser feito num nível exterior, com amigas e às vezes até mesmo com inimigas, e, num nível interior, quando encontramos nossas sombras femininas em sonhos. Frequentemente, esses aspectos inaceitáveis e não vividos da personalidade são exatamente aquilo de que precisamos para resolver um problema, preencher uma lacuna, ou para nos tornar capazes de nos mover para a frente ou para trás, para cima ou para baixo. Ao relacionar-se com uma irmã-sombra, use as palavras mágicas de necessidade e do sentimento. Lute com isso. Tente conhecê-la. Seja ela. Seja você. O resultado será a integridade.

5

ANIMUS: AMANTE E TIRANO

Eis uma experiência para as leitoras: tentem verificar como estão se sentindo ou o que estão pensando em relação a esses ensaios até agora. Assumam uma postura realista. Isso não uma é uma declaração pública, serve apenas para vocês mesmas e para os objetivos dessa experiência. Como vocês vêm realmente se sentindo em relação a esse material até aqui? Está bem, agora ouçam com atenção. Vejam se ouvem uma *outra* voz, discordante, denunciando, assumindo uma visão diferente e oposta. Essa é uma das coisas que Jung quis dizer com *animus*. Ele sugere essa experiência nos *Seminários de Visões*.[1]

Quando tentei fazer essa experiência, percebi que estava sentindo a necessidade de uma atenção mais precisa. Os primeiros ensaios são experimentalmente ricos, os sentimentos fluem, podemos ver a beleza variada e preciosa do feminino, da experiência feminina e as mulheres; mas há necessidade de mais focalização, de definição, de significado –, de algo mais, do outro lado.

No mito de Eros e Psiquê, quando Psiquê é encarregada da tarefa de roubar a flecha dourada, ela é ajudada pelos juncos sussurrantes. Eles lhe contam que os carneiros estão enlouquecidos com o forte sol do meio-dia da consciência solar que lhes bate nas costas douradas. Depois de um dia longo e quente em que estiveram batendo as cabeças, umas contra as outras, em competição e em agressão masculina, em raiva e frustração, enlouquecidos pelo calor do Sol, os carneiros deitam no chão e adormecem. Então Psiquê, no frescor da noite, recolhe facilmente a flecha dourada que está pendurada nos galhos e ramos finos que a acolheram durante a atividade frenética do dia. Assim também nós tentaremos recolher algumas dessas flechas douradas, mas à luz da Lua, e com a ajuda do sentimento subjetivo de conexão e de união de Psiquê.

Antes de tudo, uma definição de *animus:* basicamente, é a ideia de que toda mulher tem dentro de si um elemento contrassexual, um outro, um homem interior, uma alma parcial, um lado masculino, às vezes plural, um comitê, um júri, um conselho editorial. Trata-se da experiência interior do outro masculino, e às vezes o que esperamos dos homens, ou o *animus* exterior projetado. O *animus* é formado a partir da experiência do nosso pai, do *animus* ou lado masculino da nossa mãe e do inconsciente coletivo que fornece a dimensão arquetípica. Um exemplo evidente disso é o estoque de personagens masculinos que aparecem nos sonhos, mitos, lendas e na literatura – o amante, o estuprador, o pai, o crítico, o homem mau, o professor, o patrão ou o guerreiro.

Como amante, ou na forma de energia masculina positiva, o *animus* oferece focalização. (Ver figura 14.) Como descreve Irene de Castillejo,[2] ele segura uma lâmpada que nos permite

Figura 14. *Animus* como amante.

entrar em contato com aquilo que já conhecemos num nível inconsciente. Emma Jung[3] também vê a função do *animus* como um conector – com a palavra, o feito e o significado. Adrienne Rich fala do "Recurso Natural" do "fantasma do homem-capaz--de-compreender, do irmão perdido, do gêmeo – do camarada/ gêmeo cuja palma da mão tem uma linha da vida igual à nossa".[4] Em resumo, o *animus* como amante é, na melhor das hipóteses, o parceiro da alma, a metade perdida de si mesma restaurada. (Ver figura 15.)

O *animus* positivo pode surgir como pai, fornecendo encorajamento, proteção, princípio, contenção. Ele aparece em sonhos como rei, formulador da lei, pai do céu, até mesmo como espírito, vento, sol ou nuvem. Ou então pode ser um filho amado, um eterno investigador, um cantor, um poeta, um ser criativo, um amante perfeito. Ele atrai ou inspira. Aparece como Adônis, Peter Pan ou Davi. Pode ser um herói, um realizador, uma estrela cadente que ouve nossos desejos, um vaqueiro ou aventureiro. Ele nos liberta do pai, da mãe, da família pessoal, e nos arrebata. (Ver figura 16.) Ou então o *animus* positivo pode ser um homem sábio que conhece, informa, dirige, um homem que se relaciona com uma ideia de modo subjetivo, como Moisés ou Salomão.

As histórias de amor oferecem abundantes retratos gloriosos de homens do tipo *animus* positivo, mas, infelizmente, as mulheres frequentemente encontram o *animus* em seus aspectos negativos, como crítico, juiz, sádico e mágico do mal – em resumo, o bastardo.

Seu *modus operandi* é informar à mulher, nos termos mais pessoais e acurados, que ela não vale nada, é desprezível, burra, feia, mal-amada, incapaz, um fracasso. O ataque do *animus* é ouvido como uma voz ou atitude interior crítica negativa, ou é sentido como dor, tensão e rigidez, frequentemente nos ombros, nas costas, no pescoço e na cabeça.

Como tirano, o pai torna-se juiz. Ele fornece opiniões gerais irrelevantes que violentam a pessoa. Ele é inflexivelmente crítico e negativo. Conta-nos como devemos nos comportar e de que maneira devemos nos sentir. Está preocupado com o tempo e com a história. Como Crono, o pai que devorou os filhos ao nascerem, ele nos destrói e destrói a nossa criatividade, dizendo-nos: "Você sempre..." ou "Você nunca...". Aprisionada nesse

Figura 15. *Animus* como gêmeo, "cuja palma da mão tem uma linha da vida semelhante à minha...". *Adam and Eve,* Pietro Annigoni, afresco. Convento de San Marco, Florença.

tipo de ataque do *animus*, a mulher sente-se como criança ou como filha. Sente-se mal, pressionada, indigna, culpada.

O ataque do *animus* do tipo filho ou *Puer* é mais sutil. Ele nos seduz para a fantasia. É o amante fantasma que nos afasta de um relacionamento real e de suas dificuldades. É um sonhador ardiloso, um garoto alienado, preguiçoso. Ele é *Cheri*.[5] (Ver figura 17.) A indolência é característica da possessão por esse *animus* tirano. A mulher fica abatida e triste, como Ishtar chorando por Tammuz, ou como Ísis procurando pelo Osíris perdido. Ela fica presa e deprimida, paralisada e incapaz de funcionar.

O *animus* herói como tirano torna-se estuprador, assassino, nazista, Barba Azul ou Hades. A mulher sente-se como uma virgem ameaçada por invasão, violação ou desmembramento. Quando o *animus* do homem sábio torna-se tirano, nós somos preenchidas por desejos de ser ideais, ou termos ideias obsessivas de dever e precisar. A mulher sacrifica quem ela realmente *é* a fim de preencher as expectativas idealizadas do seu *animus*. Uma mulher que estava presa ao controle desse tipo de *animus* sonhou[6] que era uma princesa que recebera um presente especial do pai, o rei, e de seu assistente, o mago. Era uma lente de aumento que havia sido presa ao seu olho quando nascera. Ela tinha, em primeiro lugar, o poder de ampliar o ponto fraco de qualquer amante em potencial e, em segundo lugar, de paralisar qualquer um dos heróis pretendentes para quem olhasse. Ela se sentia solitária como se estivesse presa numa torre alta.

Como é que o *animus* torna-se tirano? Como diz Irene de Castillejo,[7] o *animus* é um arquétipo. Como tal, ele é impessoal e inumano. A menos que seja inteira e completamente informado pela mulher, tende a ser irrelevante e pouco objetivo. Essa é a interpretação mais generosa. Barbara Hannah, uma mulher sábia, analista junguiana e escritora, disse em algum lugar que, em conversa com o seu *animus*, ela lhe perguntou certa vez por que ele se comportava tão mal, e ele respondeu que odeia o vazio e que se joga dentro dele quando a mulher não está lá. Hannah tem um trabalho maravilhoso[8] a esse respeito, denominado "Enredos Femininos". Trata-se de uma interpretação psicológica de um romance de Mary Hay chamado *A Vinha do Mal*, um típico romance gótico. Quando lemos o livro, sentimos o poder maligno de um homem que seduz uma jovem, afastando-a de casa e da família e a mantém aprisionada num castelo. O ensaio de Barbara Hannah surge como uma revelação. Ela mostra claramente como a falta de atuação do ego da heroína, o fato de ela *não* escolher, *não* exprimir, *não* discriminar é que é o verdadeiro vilão. Emma Jung[9] explica o poder tirânico do *animus* como um problema espiritual. Ela acredita, assim como eu, que as mulheres têm necessidade de desenvolvimento espiritual e, quando essa necessidade é negligenciada e culturalmente negada, há uma tendência resultante de projetar o *Self* no masculino. Isso significa que o *Self* é dominado pelo *animus*. Certamente, todas nós já sentimos o peso de certos julgamentos que o *animus* faz de nós mesmas, embora eles tenham vindo direto do próprio Deus! Em sua excelente obra *Problemas Femininos nos Contos de Fadas*,[10] Marie-Louise von Franz descreve como os sentimentos de mágoa não expressos são sempre apropriados pelo *animus* e se transformam em terríveis ataques de *animus*, que recaem sobre os outros e sobre nós mesmas. Sempre penso nessa

Figura 16. *Animus* como herói ("Die Erfullung des Schicksales", por Edward Burne-Jones, 1888).

característica do *animus* como o Oscar, o Rabugento, uma personagem de *Vila Sésamo*. Ele vive numa lata de lixo e agarra todo material sujo, negativo e feio que consegue. Ele adora ser sórdido. Nos *Seminários de Visões*, Jung observa que o *animus* é um sujeito muito faminto e que tudo o que cai no inconsciente é possuído por ele: "ele está lá com a boca aberta e agarra tudo o que cai da mesa do consciente... se você deixar que algum sentimento ou reação se afaste de você, ele o devora, torna-se forte e começa a discutir".

Todas essas noções de energia do *animus* estão corretas. Basicamente, a natureza do *Yin* é estender a mão e entrar em contato; ame-o, se quiser. Ao contrário, a natureza do *Yang* é o oposto; é discriminar e separar. Trabalhar num relacionamento com o *animus* significa encontrar um equilíbrio entre essas duas forças em si mesmas.

Os sintomas de um ataque do *animus* são sentir-se presa ou possuída, ou encontrar-se numa espiral furiosa, ou sentir-se terrivelmente vitimada, ou deprimida, perder o interesse pela vida, ter dor ou pressão, não conseguir respirar, sentir rigidez, dor ou tensão nas costas, no pescoço, nos ombros e na cabeça. Minha imagem da "mulher conduzida pelo *animus*" é a do *animus* cavalgando nas costas da mulher. Problemas sexuais tais como não conseguir chegar ao orgasmo – ou frigidez – geralmente envolvem um ataque ou possessão do *animus*. Fantasias obsessivas e ruminação, um sentimento de pressão, tentativas muito severas, certa expressão facial, rugas marcadas entre os olhos, são todos sintomas de um ataque do *animus*. Dar um conselho em vez de

Figura 17. *Puer Aeternus – animus* como o eterno jovem. *David,* Michelangelo, Florença.

uma resposta humana, sentir-se isolada dos outros e da vida são sintomas de uma possessão do *animus*.

Para fazer algo a respeito de um ataque do *animus*, primeiro você tem de estar consciente de que isso está acontecendo. Em segundo lugar, você precisa respirar; se possível, entrar em contato com o ar, com a terra, com o fogo ou com a água, com algo real, básico e natural, uma contramagia para a prisão irracional da possessão tirânica, impessoal, irracional, arquetípica do *animus*. E, finalmente, você tem de retirar as projeções do *animus*. Para fazer isso, é preciso haver uma aceitação consciente e ativa de toda a situação. Sinta, intua, pense ou tenha a sensação do seu próprio modo de fazer isso. O segredo é a interação. O *animus* precisa ser informado de tudo o que você sente, vê ou pensa. Isso é terrivelmente difícil de se fazer. Às vezes, você tem de superar o medo, a falta de confiança e/ou a inércia. É preciso coragem, mas os resultados são extraordinários.

6

O Desenvolvimento do *Animus*

O capíttulo 5 esboçou, de modo geral, o *animus* como amante e tirano. Agora, eu gostaria de apresentar uma história antiga que ilustra as vicissitudes no relacionamento de uma mulher com seu *animus*. É a história de Ester contada de modo completo no Livro de Ester do Antigo Testamento. Em resumo, a história começa quando o rei, após vários dias de banquete e bebedeira com seus cortesãos, exige que a rainha apareça nua diante dos homens, para poder gabar-se da posse de sua beleza. Ela se recusa. Ele promove um concurso de beleza para escolher uma nova rainha e Ester, uma mulher hebreia, é escolhida. Seu tio, Mardoqueu, conta-lhe sobre o complô dos eunucos para matar o rei. Ester avisa o rei e este recompensa o tio, elevando-o a uma posição de autoridade. Mardoqueu se recusa a curvar-se diante de todos, o que provoca a ira do vilão Haman, o primeiro-ministro do rei, que então ameaça matar não apenas Mardoqueu, mas todos os judeus. Ester intercede junto ao rei. O vilão é punido, o tio recompensado, as pessoas são salvas e todos vivem felizes para sempre. Este é um conto de fadas que demonstra muitos dos estágios e temas do desenvolvimento do *animus* no processo de individuação de uma mulher.

Primeiro, quando analisamos o pano de fundo dessa história, temos um rei, uma autoridade masculina suprema, que intima a rainha, ordena-lhe que se submeta às suas exigências arbitrárias e caprichosas. *Ela se recusa.* Isso é revolucionário — a base para o início da nossa história sobre a separação dos princípios masculino e feminino. A partir dessa base, Ester recebe a possibilidade da individuação, como todos recebemos. O fato de ela ser uma mulher hebreia e de já estar prometida em casamento quando o rei a escolhe apenas marca a natureza miraculosa desse acontecimento. Ela faz parte do povo escolhido, dos que são escolhidos pelo *Self* para a individuação.

No início da história, Ester, cujo nome é o mesmo que Ishtar, a grande deusa babilônica do amor, que significa "bela como a Lua", está completamente contida em seu relacionamento com o *animus*. Ela não tem pai nem mãe, mas foi adotada como filha por Mardoqueu e é educada para tornar-se sua esposa. Ela *é* completamente identificada com seu *animus.* Faz o que ele manda e acredita no que ele diz. Ela tem a mesma característica de muitas mulheres que estão nesse estágio do desenvolvimento do *animus.* Estão completamente inconscientes do outro que existe nelas, tudo é natural e evidente por si mesmo. Estão demasiado contidas na conexão urobórica com a mãe.

Quando Ester é escolhida no concurso de beleza e separa-se de Mardoqueu, ela entra no primeiro harém e inicia o seu próprio processo de desenvolvimento feminino. Ela deve manter em segredo o fato de ser hebreia. A necessidade de manter segredo é uma parte integral dos mistérios femininos. Nesse caso, Ester é ajudada em seu processo com o oferecimento de sete criadas. Ela pede que cada uma a sirva num dia diferente da semana. Desse modo, pode observar os rituais à menstruação que lhe são exigidos e ser verdadeira consigo mesma, sem ter o seu segredo revelado, ou seu processo observado. Cada criada a veria em apenas um dia e, portanto, não observaria suas práticas do *Sabá*, nem suas abluções rituais cíclicas lunares. Desse modo, o ano que passou no harém preparatório para o encontro com o masculino numinoso torna-se um período de introspecção, em que ela é verdadeira para com o seu próprio processo feminino. Muitas mulheres vivenciam essa época em suas vidas dos 9 aos 10 anos de idade, até o momento em que se apaixonam pela primeira vez.

Ao fim desse período preparatório, Ester é novamente escolhida, dessa vez pelo rei. Ela é selecionada para desenvolvimento posterior. Psicologicamente, essa é a época em que a pessoa torna-se consciente de que há um outro. O *animus*, Mardoqueu, informa-a de que o rei, o princípio masculino governante, está em perigo por causa dos eunucos – os homens que são incapazes de se relacionar sexualmente com as mulheres. Seguindo as instruções do seu *animus*, Ester informa o rei. Esse fato de que o auxiliar do *animus* em evidência, Mardoqueu, e Ester salvam a vida do rei torna-se posteriormente a base da transformação do princípio masculino numinoso, no caso, o rei.

O complô significa que os elementos masculinos dessexualizados na psicologia de uma mulher tenderão a destruir seu desenvolvimento e casamento interior e impedirão sua individuação, a menos que ela possa tornar-se consciente deles. Esse não é um tema raro nos sonhos e na vida das mulheres: homossexuais do sexo masculino com quem devem se relacionar antes que o processo se desenvolva. Uma mulher sonhou que resistentes da guerra vietnamita, veteranos que tinham visto a ação e decidido resistir, tinham se tornado homossexuais pelo governo, o patriarcado. Foi necessário que ela compreendesse o significado dessa imagem complicada em sua psique antes de conseguir entrar em contato com os verdadeiros sentimentos de sua alma. Ester faz isso. Ela reconhece a trama e conta tudo ao rei. Quase imediatamente, há uma mudança no rei. Ele dá mais autoridade a Haman. Haman exige que todos, inclusive Mardoqueu, se inclinem diante dele. Mardoqueu, como *animus* de Ester, recusa-se porque se dedica a uma autoridade maior, o *Self*.

Agora, o princípio masculino está se tornando mais diferenciado para Ester. Essa é uma época psicologicamente muito complicada para uma mulher. Ela está retirando a projeção do *Self numinoso* do masculino. Há um potencial para a presunção. Ela sente: "Eu dei um tremendo passo, agora posso lidar com *tudo*". Se estiver fazendo análise, frequentemente sentirá a tentação de abandoná-la nesse ponto, mas o poder negativo é constelado com muita rapidez, talvez pela presunção. Ela tem de se recusar a se inclinar diante do *animus* negativo, mas essa recusa traz consigo a terrível ameaça de destruição. Haman conta ao rei que certa nação não incorporada – aqueles que são escolhidos para a individuação, que seguem um "estranho sistema de leis" exclusivos, aqueles que são verdadeiros consigo mesmos – "põem em risco a estabilidade do reino". O rei concorda com o fato de que eles devem ser destruídos, "galhos e raiz", num determinado dia, o décimo quarto de Adar, um dia escolhido ao acaso. A ameaça terrível e sua natureza fatídica são enfatizadas pela escolha do dia ao acaso.

Novamente Mardoqueu, como *animus* de Ester, focaliza imediatamente o problema e conta-lhe sobre a ameaça, mas ela, como ego, tenta negá-la. Mardoqueu informa-a novamente de que ela deve *fazer* algo; ela diz que não pode; não pode aparecer diante do rei sem ser chamada. Diz que será morta, citando a lei do *animus*. Psicologicamente, isso é vivenciado pela mulher como uma época em que ela sabe qual é o próximo passo, mas sente-se incapaz de encetá-lo.

Então, Mardoqueu, como *animus* espiritual, coloca-a em contato com o nível transpessoal dela própria. Ele diz o seguinte:[1]

> Não acredite que, por estar no palácio do rei, você será a única judia a escapar. Não, se você insistir em permanecer em silêncio num momento como esse, alívio e redenção virão aos judeus de outro lugar, mas tanto você como a casa de seu pai perecerão. Quem sabe? Talvez você tenha chegado até o trono para enfrentar exatamente uma época como esta.

Em consequência disso, Ester compreende a natureza de sua tarefa e diz o seguinte:

> Vá reunir-se a todos os judeus de Susa e faça jejum por mim. Não coma nem beba de dia nem de noite durante

três dias. Quanto a mim, eu e minhas criadas manteremos o mesmo jejum, após o qual irei até o rei apesar da lei e, se eu morrer, paciência.

Ester pede refúgio ao Senhor:

Ela tirou suas suntuosas vestes e colocou roupas tristes de luto. Em vez de usar perfumes caros, coloriu a cabeça com cinzas e esterco. Humilhou severamente seu corpo, e as antigas cenas de sua felicidade se misturaram às tranças de cabelo que lhe foram cortadas.

Essas palavras são uma descrição exata da descida de Ishtar ao mundo subterrâneo a fim de resgatar seu filho/amante divino, Tammuz.

Ester reza pedindo coragem e auxílio. Sua prece assume a posição do ego feminino e fala do pecado de ceder o poder do *Self* ao falso Deus do *animus*. Uma mulher nesse estágio de desenvolvimento do *animus* torna-se inteiramente consciente de sua história, de como surgiu a necessidade de projeção, e percebe qual é de fato a situação dinâmica. Ela precisa descobrir e exprimir o que realmente sente para ter uma completa compreensão da trama que ameaça destruí-la. Geralmente, isso envolve a ruptura com a situação do casamento patriarcal, no qual a mulher obedece ao marido, não ao seu *Self* ou às exigências do seu próprio desenvolvimento.

No terceiro dia, quando terminou de rezar, ela tirou a roupa de luto suplicante e vestiu-se com o mais completo esplendor. Surgiu radiante e invocou o Deus que tudo guarda... Então, levou duas criadas consigo. Com um ar delicado, apoiou-se em uma delas, enquanto a outra a acompanhava, carregando suas coisas. Ela se apoiou no braço da moça com aparente languidez, mas de fato porque seu corpo estava demasiado fraco para sustentá-la; a outra criada seguiu sua ama, levantando-lhe as vestes que varriam o chão. Rosada com o rubor pleno de sua beleza, seu rosto irradiava alegria e amor, mas seu coração se contraía de medo. Depois de passar por uma porta após a outra, viu-se na presença do rei Ele estava sentado no trono real, vestido com todas as roupas oficiais, faiscando com o ouro e as pedras preciosas – uma visão formidável. Levantando o rosto, incendiado de majestade, ele olhou para ela, num acesso de raiva. A rainha caiu de joelhos. Desmaiou e a cor sumiu de suas faces, e ela encostou a cabeça na criada que a acompanhava.

Ela ficou inconsciente – mas um momento de Graça ocorreu.

Deus alterou o coração do rei, induzindo-lhe um espírito mais brando... Alarmado, ele levantou-se do trono e tomou-a nos braços até que ela se recuperou, confortando-a com palavras suaves. "O que há, Ester?", disse ele. "Eu sou o seu *irmão*."

Essa é a primeira oferta de igualdade.

"Anime-se, você não vai morrer; nossa ordem só se aplica às pessoas comuns. Venha até mim." E, levantando o cetro de ouro, encostou-o em seu pescoço, abraçou-a e disse: "Fale comigo". "Meu Senhor", disse ela, "o senhor olhou-me como um anjo de Deus, e meu coração foi tocado pelo temor da sua majestade. Sua figura é prodigiosa, meu Senhor, e seu rosto está cheio de bondade." Mas, enquanto falava, caiu desmaiada.

Novamente, a projeção do *Self* atira-a na inconsciência, mas, como já começou a estabelecer um relacionamento com essa característica masculina numinosa, ela é reanimada e encorajada a continuar. A história prossegue:

O rei estava aflito, e todo o seu séquito tentava ao máximo reanimá-lo. "O que há, rainha Ester?", perguntou o rei. "Diga-me o que deseja; mesmo que seja a metade do meu reino, eu o concedo a você."

Aqui há a promessa de igualdade e de relacionamento real com o *animus*.

Ester aceita o presente e diz: Agradaria ao rei comparecer hoje com Haman ao banquete que lhe preparei?". O rei responde: "Digam a Haman para vir imediatamente, de modo que Ester possa realizar o seu desejo".

O fato de aparecer diante do rei sem ser solicitada – com a inteira consciência do próprio medo e da numinosidade dele – é um grande passo no desenvolvimento psicológico de uma mulher. É um momento de decisão. Nesta história, Ester trouxe a questão para dentro do seu próprio reino feminino. Com seu ato de reverência e coragem, obteve seu próprio espaço. Nesse contexto, os aspectos negativos do *animus* são prontamente transformados. Tudo começa a dar certo. As coisas se encaixam em seus lugares. Haman, conduzido pelo seu próprio lado feminino inferior, constrói pomposamente o instrumento de sua própria morte, a forca. O *animus* do rei conscientiza-se da dependência do *animus* da rainha para a própria vida dele. Conscientiza-se da necessidade de obedecer às leis da individuação e de ligação com o *Self*. Seu lado de sombra negativa é revelado e rapidamente transformado. Tudo se mostra preciso e correto. Há uma recepção e um banquete, e todos vivem felizes para sempre. A simetria do conto, terminando como começou, com um festim e uma celebração, forma uma mandala de inteireza. A história termina com as seguintes palavras:

> A rainha Ester, filha de Abiail, escreveu com *plena autoridade*... que o Dia da Destruição, o décimo quarto de Adar, seria desde então um dia de celebração para todo o seu povo.[2]

# 7

OS ESTÁGIOS DO DESENVOLVIMENTO DO *ANIMUS*

A função do *animus* liga o ego feminino aos níveis mais profundos do *Self* feminino. O desenvolvimento da função do *animus* opera uma transformação na mulher, de modo que ela possa assumir sua *própria autoridade* como mulher. Ela se torna inteiramente ela mesma e é capaz de pisar seu próprio terreno, com sua *própria autoridade*. Na psicologia das mulheres, o masculino é vivenciado de forma interior como *animus* e de forma exterior como homem, e um evoca o outro. Encontros sucessivos com o *animus* e a vivência contínua no relacionamento com os outros fornecem o *modo* de individuação para as mulheres. É esse encontro contínuo, sem fim, com o outro contrassexual que oferece a *prima materia*, o fogo, a energia e o caldeirão para a transformação e a individuação. A batalha dos sexos – ou a história de amor – está sempre continuando num nível interior e num nível exterior, e é preciso que nos conscientizemos disso.

Vou resumir e fornecer um esboço do trabalho de Neumann, "Os Estágios Psicológicos do Desenvolvimento Feminino",[1] porque não se encontra disponível. Mas recomendo a todos os interessados que leiam esse material em conjunto com *A Lua e a Consciência Matriarcal*.[2]

O primeiro estágio do desenvolvimento feminino é de inteireza urobórica maternal. Não há separação entre o ego e o inconsciente. O ego depende do inconsciente e está contido nele, assim como o bebê depende da mãe e está contido nela. Depois do nascimento, essa inteireza é vivenciada como contenção dentro do "poder envolvente e protetor do grupo, do clã ou da casa. Arquetipicamente, esse relacionamento original, ou melhor, a dependência total que o ego tem do inconsciente e que o indivíduo tem em relação ao grupo todo é vivenciada através da projeção na mãe, que, independentemente de sua própria individualidade, marca o bebê ou a criança pequena como o uroboro maternal e a Grande Mãe".[3] Estruturalmente, a situação é a mesma para ambos os sexos, isto é, o ego embrionário e o infantil estão contidos no uroboro materno. Neumann levanta a hipótese – e agora sabemos isso cientificamente – de que o embrião é macho ou fêmea desde o momento da concepção, e que mesmo o meio ambiente uterino é macho ou fêmea, em concordância com o embrião. Assim, o bebê vivencia a mãe ou como "estranha" ou como "semelhante".[4] E, mais nitidamente para o menino, a consciência masculina nasce ao separar-se da inconsciência materna.

É necessário dizer aqui que "a totalidade da psique cujo centro é o *Self* existe num estado de identidade imediata com o corpo, que é o portador dos processos psicológicos".[5] Há uma diferença biopsíquica entre os dois sexos. Como diz Neumann, "O *Self*, portanto, como a totalidade da personalidade, carrega os atributos do sexo físico exterior, cuja condição hormonal está intimamente relacionada com a psicológica".[6]

Assim, o menino se desenvolve em oposição à mãe por meio da separação e diferenciação, tornando-se cada vez mais objetivo. A identidade original eu-tu revela-se falsa e resulta numa tendência para relacionar-se apenas a partir da distância do mundo consciente do logos, assim como em sua má vontade para identificar-se inconscientemente com um "tu". Portanto, para os meninos, a "autodescoberta" está essencialmente relacionada com o desenvolvimento da consciência e com a separação dos sistemas consciente e inconsciente, e o ego e a ipseidade sempre surgem arquetipicamente simbolizados como masculinos... Ele vive a personagem do herói arquetípico individualmente, e só vivencia a si mesmo depois de lutar contra o dragão e sobreviver a ele, que é o lado natural do inconsciente, que o confronta sob a forma do relacionamento primário.[7]

Para a menina, o "relacionamento original de identidade com a mãe pode (e deve) durar muito, até mesmo quando ela se torna mulher".[8] Assim, o desenvolvimento do ego da menina ocorre não *em oposição* ao seu inconsciente, mas *em relação* a ele. Ela sente que depende dele, que é alimentada por ele e, assim, naturalmente, volta-se para os processos inconscientes e não para longe deles. Há o perigo de fixação nesse nível, porque a menina pode vivenciar-se sem jamais abandonar o círculo possessivo do arquétipo da Grande Mãe. Ela permanece uma mulher-criança, mas não é alienada de si mesma e desfruta do sentido de inteireza e completude natural, mas nunca se torna um todo inteiramente desenvolvido e uma mulher humana, individualizada. Enquanto essa feminilidade natural é favorecida como um ideal cultural, e a pessoa talvez tenha de lutar para se livrar disso, de uma perspectiva introvertida essa luta é a duradoura tarefa interior de separação e individuação das mulheres.

Neumann afirma que "enquanto o relacionamento com um oposto é uma forma de relacionamento individual e cultural, o modo natural da mulher de relacionar-se por meio da identificação é derivado do vínculo sanguíneo da gravidez, ou seja, da relação primária com a mãe, da qual essa relação essencialmente se origina...". É típico da fase de autoconservação que a mulher permaneça psicologicamente e, com frequência, sociologicamente no grupo das fêmeas – o clã materno –, mantendo uma continuidade de relacionamento com o grupo da mãe, acima dela, e com o grupo da filha, abaixo dela. Essa unidade e esse apego com o feminino coincide com uma separação do masculino e com um sentimento de alienação em relação a ele.[9]

A presença do masculino é o *animus* da mãe; todo homem é excluído e considerado um elemento hostil, dominador e despojador. O domínio materno impede qualquer encontro individual entre homem e mulher.

É possível para uma mulher viver nesse estado embrionário, mesmo casada e com filhos. Neumann disse que, para esse tipo, tudo é "evidente por si só" e "natural", o que geralmente significa que ela está repleta de suas próprias noções inconscientes sobre o caráter dos homens em geral e do seu próprio homem em particular, sem jamais ter, como uma razão verdadeiramente individual, vivenciado os homens em geral, ou o seu homem especificamente.[10] Portanto, o lado masculino do uroboros (que é certamente bissexual) é valorizado no matriarcado apenas como parte da Grande Mãe, como instrumento dela, auxiliar, satélite. O homem é amado como uma criança, como um garotinho, usado como um instrumento de fertilidade, mas permanece integrado e subordinado ao feminino e nunca é reconhecido na sua realidade masculina distintiva.

Para Neumann, o segundo estágio é iniciado com a invasão do uroboro paterno. A mulher é apanhada por uma força desconhecida, opressora, que ela vivencia como um numinoso sem forma. Isso é sempre percebido como uma experiência dos limites do ego. Mais tarde, gradualmente, a consciência reage, e é cultivado um modo adequado de adaptação ao novo arquétipo.

O desenvolvimento de uma figura masculina divina aparece pela primeira vez no matriarcado com o surgimento de grupos de poder pluralístico de personagens masculinas demoníacas, assim como Cabiri, os Sátiros e os Dáctilos, cuja multiplicidade ainda trai seu anonimato e numinosidade amorfa. Estes são seguidos pelas figuras dos deuses fálico-ctônicos que, na verdade, ainda estão subordinados à Grande Mãe, como, por exemplo, na Grécia, Pan, Posídon, Hades e o ctônico Zeus...[11] Exemplos típicos desses deuses são Dioniso, Wotan e Osíris.

A experiência dessa "invasão pelo masculino" é equivalente a uma intoxicação dominadora, como ser agarrado e tomado por um "penetrador encantador", *não relacionado pessoalmente com um homem concreto e projetado nele, mas vivenciado como um númen transpessoal.*

Em sonhos e mitos, a numinosidade masculina impessoal pode ser um deus, uma nuvem, a chuva, o vento, o raio, o Sol dourado, a Lua, um falo numinoso que penetra as mulheres sob uma forma animal, assim como uma cobra, um pássaro, um touro, um bode ou um cavalo. A mulher é tomada por um terror mortal – frequentemente simbolizado por um casamento de morte –, ela se sente pequena demais para receber dentro de si todo o falo da divindade.

Clinicamente, esse medo da invasão masculina se manifesta nas neuroses histéricas clássicas, em ansiedades sexuais e sintomas neuróticos. Na análise, pode haver uma aceitação do medo e uma rendição à experiência, de modo que os tremores de ansiedade possam ser transformados nas ondas de prazer orgiástico, e a mulher fecundada pelo espírito masculino liga-se à sua própria natureza instintiva, e compreende isso tudo com todo o seu corpo.

Esse estágio da invasão pelo uroboro paterno é essencial; a pessoa passa esperançosamente por ele e segue em frente. A fixação nesse estágio é observada em mulheres que permanecem fascinadas pelo Pai Espiritual, sempre a filha do eterno pai – profetisa, freira, gênio ou anjo. Ou talvez ela personalize o laço intuitivo com o pai espiritual e sirva a um grande homem – artista, vidente, poeta, guru etc. Ela é, em resumo, a mulher *animus*, inflada e "identificada com uma figura feminina arquetípica que ultrapassa amplamente seus limites meramente humanos...".[12] Aqui a mulher perde o contato com a realidade terrena, com sua própria humanidade e, especialmente, com o próprio corpo. Como ela está escravizada ao Pai Espiritual, geralmente dedicado à magia negra, acaba incorrendo na inimizade da Grande Mãe, que surge em sua forma negativa como bruxa ou, tipicamente, nos problemas menstruais e nos problemas de fertilidade.

Outra forma de fixação no nível urobórico paterno ocorre quando a mulher se identifica com seu *animus* e transforma-se nele. Ela se distancia de sua própria natureza numa possessão de *animus* em que não sabe qual a diferença entre o seu *Self* e o seu *animus*. Esse tipo de possessão geralmente acarreta resultados trágicos.

É a tarefa do herói masculino – que aparece numa forma individual e pessoal – libertar a donzela capturada pelo dragão do uroboro paterno. O herói masculino *é* uma força ao mesmo tempo interior e exterior, e ambas frequentemente surgem de imediato.

O herói masculino geralmente assume uma forma pessoal. A mulher costuma se apaixonar por ele; o ego feminino sente-se incapaz de separar-se por si mesmo do estágio anterior e depende do herói masculino, necessita do seu socorro. Há um relacionamento funcional entre a mulher e o *animus* – ele a liberta – por meio da palavra, da força, da façanha do significado. Ele age como um impulso vivificante e ajuda-a a focalizar aquilo que quer e o modo de obter isso. Ele oferece uma perspectiva mais geral do que o ego, que está emocionalmente preso e envolvido com as coisas. Exteriormente, o terceiro estágio é, em geral, o casamento patriarcal tradicional, no qual a *anima* do homem *é* projetada na mulher e o *animus* da mulher *é* projetado no homem. Essa forma de casamento – o arranjo, como eu chamo – resulta no conteúdo e no continente, ou no Castelo de Cartas. A mulher é toda feminina e o homem, todo masculino.

Em algum ponto, a esposa conduzida pelo *animus* – ou o marido levado pela *anima* – se revolta. Há um acúmulo de desilusão amarga porque o companheiro não corresponde ao elemento contrassexual projetado idealizado. E há uma crise no casamento ou, como vimos culturalmente, em toda forma de casamento patriarcal.

A fixação nesse nível é muito mais prejudicial à mulher que ao homem, porque vai contra o seu *Self* feminino. Ela perde completamente o contato com os valores matriarcais e vive como uma filha do patriarcado. Diferentemente da filha do Pai Espiritual, ela é diminuída, protegida, inferior. A perda oposta da alma é verdadeira para o homem no casamento patriarcal, mas, como os valores culturais são primariamente masculinos, ele não é reduzido, como a mulher. A sociedade como um todo também sofre quando é fixada nessa forma simbiótica do casamento patriarcal.

Se a mulher permanece fiel à lei ou ao contrato do casamento patriarcal, ela está sacrificando o seu próprio desenvolvimento.

A quarta fase do desenvolvimento psicológico em relação ao *animus* é marcada pelo confronto e pela individuação, e requer a participação total dos dois parceiros. Ela exige que ambos retirem suas projeções um do outro e que iniciem um relacionamento novo e individual para cada um com seu próprio centro – e de um para com o outro. A mulher é solicitada para atingir esse estágio de desenvolvimento pelo seu *Self*, o homem por sua *anima*. Para ambos os sexos, o masculino dá início ao surgimento da consciência, a partir da inconsciência primária, enquanto o *feminino* dá início ao acabamento da consciência.

8

CRIATIVIDADE E REALIZAÇÃO

Eu gostaria de começar este ensaio com uma parábola denominada "Presentes da Vida". Ela foi escrita por Olive Schreiner, uma feminista sul-africana, em 1890:

> Eu vi uma mulher que dormia. Em seu sono, ela sonhou que a Vida estava em pé diante dela e segurava um presente em cada mão – numa o Amor, na outra a Liberdade.
> E ela disse para a mulher: "Escolha!".
> E a mulher esperou muito tempo; então respondeu: "Liberdade!".
> E a Vida disse: "Escolheste bem. Se tivesses dito 'Amor', eu teria oferecido aquilo que me pediste: e eu te abandonaria e não mais retornaria. Agora, chegará o dia em que retornarei. Nesse dia, trarei os dois presentes numa só mão".
> Eu ouvi a mulher rir durante o sono.[1]

O sentido da vida, que nos força a escolher entre o amor e a liberdade – ou, em termos modernos, uma carreira, uma profissão, um profundo envolvimento com nosso trabalho criativo –, tem estado conosco há muitos anos. Os diários e as vidas de mulheres como George Sand, Colette, Ruth Benedict, Golda Meir, Virginia Woolf, e muitas, muitas outras, revelam as várias camadas desse dilema intenso. O livro de Tillie Olsen, *Silêncios,*[2] é todo ele a esse respeito. O conflito é basicamente o da ansiedade da separação. No plano extrovertido, temermos a separação dos outros – mãe, pai, irmãos, coletividade – que poderia resultar do apego à autoexpressão e ao desenvolvimento da própria pessoa. No domínio interior, a mesma ansiedade existe em relação ao *animus*. A atitude de julgamento interno que nos convence da nossa inferioridade e inabilidade assume o controle e nos possui, agarrando-nos firmemente e impedindo a liberdade de nos relacionarmos com um objeto de amor exterior, seja humano, seja o trabalho criativo que amamos.

Em 1927, Jung escreveu sobre a situação da então "mulher moderna", de sua necessidade de desenvolver seu próprio ego feminino, assim como seu lado masculino, e sobre os perigos inerentes a esse desenvolvimento:

> Ela desenvolve um tipo de intelectualidade baseada nos assim chamados princípios e retira-os com inúmeros argumentos que sempre fogem ao alvo da maneira mais irritante, e sempre injetam alguma coisinha que não está realmente lá. As suposições ou opiniões inconscientes são os piores inimigos de uma mulher; elas podem até dar

origem a uma paixão positivamente demoníaca que exaspera e enjoa os homens, e causa o maior dano à própria mulher, ao sufocar o encanto e o significado de sua feminilidade e dirigi-la ao segundo plano. Esse desenvolvimento, naturalmente, termina em uma profunda desunião psicológica, em resumo, numa neurose.[3]

Essa mulher estaria só, solitária – tanto no sentido literal como no psicológico.

Jung continua explicando que, quando esse estado de possessão do *animus* se torna evidente, "a mulher tem uma necessidade especial de manter um relacionamento íntimo com o outro sexo".[4] Ele fala da situação das mulheres de negócios solteiras e das dificuldades de um relacionamento com um homem casado, no qual a mulher solteira sacrifica a segurança de um lar, o marido e os filhos. Por outro lado, as mulheres casadas dessa época estavam começando a se livrar de toda essa segurança pela disponibilidade do controle da natalidade, pela educação e pelas oportunidades de trabalho. Uma vez aberta a janela da oportunidade, as mulheres podiam começar a sentir o peso, a limitação, as restrições e a falsidade do casamento tradicional como instituição na qual se esperava que fossem inteiramente fêmeas para o machismo total, igualmente limitador, de seus maridos. Essa acomodação leva à morte do amor. As mulheres começaram a perceber isso e passaram a ansiar tanto por um relacionamento humano afetuoso como por um relacionamento amoroso com o trabalho. O ensaio de Jung termina com as seguintes palavras: "É função de Eros unir o que Logos dividiu.

A mulher de hoje depara-se com uma tremenda tarefa cultural – talvez seja o amanhecer de uma nova era".[5]

O que *realmente* amanhece em mim cada vez que leio esse ensaio, seja em 1967, 1977 ou 1987, é a minha raiva pela projeção de Jung do seu medo da *anima*, de certo modo histérico, de que as mulheres se tornem demasiado intelectuais, solitárias e neuróticas se tentarem seguir carreira, de que só encontrarão privação em relacionamentos com homens casados, ou que serão invisíveis ou indiferentes a homens solteiros, e a expectativa incrivelmente alegre e a exigência infantil de que as *mulheres* precisam salvar a cultura. Fico igualmente zangada com a verdade que há nos temores de Jung e com a persistência desses conflitos atualmente.

O próprio Jung foi rodeado de mulheres que assumiram a tarefa cultural que ele mencionou – Esther Harding, Eleanor Bertine, Aniela Jaffé, Marie Jacobi, Marie-Louise von Franz – e todas essas mulheres abordaram o problema do Amor ou da Liberdade naquilo que escreveram. Em 1933, Harding escreveu o seguinte: "No início de sua luta pela independência, as mulheres foram obrigadas a identificar-se sem reservas com sua adaptação masculina e, na maioria, sacrificaram-lhe inteiramente seu amor pela vida".[6] Os intensos conflitos psicológicos descritos pela dra. Harding nos anos 1930, que surgem da combinação entre amor e trabalho, ainda se encontram entre nós. Em 1968, Matina Homer[7] fez um estudo no qual solicitava a garotas estudantes de faculdade que completassem a seguinte história: "Depois dos exames finais do primeiro semestre, Anne se vê como primeira aluna da classe no curso de medicina. Então...".

Aqui estão algumas das histórias dessas mulheres modernas – brilhantes universitárias da Eastern Ivy League –, às vésperas do movimento feminista mais recente:

> Anne é um nome de código para designar uma pessoa que não existe, criada por um grupo de rapazes, estudantes de medicina. Eles se revezam, fazendo exames e escrevendo os trabalhos para ela.

Aqui, as estudantes utilizam a recusa, dizendo essencialmente: "não aconteceu, de fato". Em outros termos, uma delas escreveu:

> Anne começa a manifestar surpresa e alegria. Seus colegas de classe ficam tão enojados com seu comportamento que pulam todos sobre a jovem e batem nela. Anne fica deformada pelo resto da vida.

A história típica, embora não tão estranha como esta, exprimia um grande medo de rejeição, de perder os amigos, além de culpa, dúvidas sobre a própria feminilidade, desespero em relação ao sucesso e ansiedade a respeito da própria normalidade diante do desejo de se realizar ou de obter sucesso.

Pesquisei um mito ou conto de fadas que esclarecesse essas questões arquetípicas para nós. Há vários que mostram aspectos delas. O conto de fadas "A Donzela sem Mãos", discutido por Marie-Louise von Franz em *Problemas Femininos nos Contos de Fadas*,[8] fala do sentimento de inferioridade que as mulheres têm quando não são amadas pelo pai e da necessidade de redenção e de cura que deve preceder o trabalho criativo para essas mulheres. O mito de Ísis e de Osíris ilustra a construção esmerada de um relacionamento com o lado masculino. A história de como Ísis arrancou à força o poder do Sol de seu pai, o deus Rá, também é útil.

Mas nenhuma delas lida com o problema todo, ou seja, com a necessidade que a mulher tem de realização criativa, de seu medo de perder o amor e o relacionamento e, mais importante que tudo, do paradoxo de que um relacionamento sexual carinhoso e bom com outra pessoa depende do fato de uma mulher ser inteira em si mesma como mulher e igual como parceira – tanto para o seu homem interior como para o seu homem exterior.

O conto de Amor e Psiquê é uma história de amor que ilustra algumas das dificuldades que vivenciamos para adquirir a inteireza como mulheres. A análise que Neumann faz desse mito em termos de desenvolvimento da consciência feminina é bastante útil. Em acréscimo, proponho-me a discutir alguns dos temas, problemas e dificuldades que as mulheres têm na área da criatividade e da realização.[9]

Era uma vez um rei e uma rainha que tinham três filhas. As duas mais velhas eram encantadoras e logo se casaram com reis das províncias vizinhas. Mas a filha mais nova, Psiquê, era de uma beleza tão incomum e maravilhosa que logo muitos cidadãos e multidões de estrangeiros foram atraídos para a cidade a fim de adorá-la, como se fosse a própria deusa Afrodite. A verdadeira Afrodite ficou muito zangada com essa negligência aos seus rituais e templos e chamou à sua presença o filho, Eros. Encarregou-o de "fazer com que a jovem Psiquê fosse consumida de paixão pelo mais vil dos homens".

Nesse meio-tempo, a própria Psiquê sentia-se infeliz porque, embora os homens admirassem sua graça divina, nenhum aproximara-se para pedir-lhe a mão em casamento. Ao ver a tristeza da jovem, o pai de Psiquê consultou um oráculo. Disseram-lhe o seguinte:

> Em algum alto rochedo, ó rei, coloque a donzela, com toda a pompa dos funerais adornada.
> Não espere por nenhum noivo de origem mortal, mas pelo fim selvagem e violento da raça do dragão.

Com dor no coração, o rei e a rainha obedeceram ao oráculo e Psiquê, adornada para o seu horrível casamento de morte, foi deixada, tremendo de medo, bem no pico do rochedo.

Ela chorou e dormiu e, quando acordou, viu um bosque com árvores altas. Bem no centro do bosque, ao lado de um riacho que deslizava, erguia-se um palácio magnífico com teto de sândalo e colunas de ouro. Ao entrar no palácio, Psiquê foi informada por vozes incorpóreas de que tudo o que havia ali dentro lhe pertencia, como presente de um deus que zelava por ela. As vozes se preocupavam e tomavam conta dela e, à noite, ela recebeu a visita de seu marido desconhecido, Eros, que, desobedecendo à mãe, Afrodite, tomara Psiquê como sua própria noiva. Com o passar do tempo, aquilo que parecia estranho no início passou a deleitar Psiquê, que começou a ansiar pelas visitas noturnas do marido desconhecido; mas ela não viveu feliz para sempre.

Até o momento a história nos mostra o quadro de uma moça bonita que está casada com um homem a quem ama cegamente. Esse estado de encerramento exprime psicologicamente uma mulher que vive num estado de inconsciência feliz em relação ao seu *animus*. É inteiramente identificada com ele e possuída por ele. Ela está, na verdade, casada com um dragão devorador do inconsciente.

Eros advertiu Psiquê para não revelar às suas irmãs a natureza do relacionamento que vinham mantendo, mas, quando ela engravida dele, torna-se vulnerável às perguntas que lhe fazem a respeito de quem ele realmente é. Ela precisa saber quem ele é por causa do novo ser que está crescendo dentro dela.

As irmãs-sombra, com ciúme e inveja da felicidade de Psiquê, dizem-lhe que ela se casou com o terrível dragão a respeito de quem falou o oráculo, e que seu filho será um monstro se ela não matar o dragão. Assim, instigada pelos elementos da sombra, Psiquê começa a tornar-se consciente. Ela esconde uma lamparina a óleo e uma faca embaixo do leito nupcial. Quando Eros adormece depois do amor, Psiquê acende a lâmpada e levanta a faca para matá-lo, mas, quando o vê, apaixona-se pro-profunda e loucamente pelo Amor. Ela espeta o dedo numa das suas flechas e, apaixonada, atira-se sobre ele num êxtase de amor, entornando a lâmpada. Uma gota de óleo fervente cai sobre Eros. Ele acorda e, ao ver seu segredo traído, sai voando e deixa-a sem dizer uma palavra.

A situação fantasiosa e ideal do relacionamento perfeito não pode durar. As irmãs são o elemento sombra da própria Psiquê e agitam as coisas. Quando ela fica grávida, suas energias instintivas são libertadas, sua criatividade é despertada. Creio que a inveja das irmãs representa energias bloqueadas em busca de uma causa. Psiquê traz uma luz feminina (vegetal) para a sua situação. Ela é conduzida para a consciência e apaixona-se verdadeiramente. Começa a conhecer sua natureza feminina. Nesse exato instante, perde o homem exterior e o relacionamento passa a ser com o seu próprio *animus*.

Exatamente nesse ponto de seu desenvolvimento, uma mulher teve o seguinte sonho: "Eu tinha estado durante muito tempo com meu amante no Hotel Earle. Deixamos o hotel e eu fiquei olhando para ele, enquanto saía com seu *jeans* desbotado para o centro do Washington Square Park". O "hotel" era um lugar escuro, um lugar secreto, onde se passa o seu caso de amor. A mulher, que havia morado em uma cidade pequena por muitos anos, considerava Washington Square como o "seu parque". Ele tem a forma da mandala, e seu amante, um herói, e um estranho, entrou no parque e dirigiu-se ao centro – o centro dela, que marca o início do seu relacionamento com o seu próprio *animus* heroico.

No mito, contudo, Eros, ferido, volta para a casa da mãe, já que o *animus* ainda está indiferenciado; ou seja, ele é o filho de sua mãe. Esse é o aspecto do filho-amante que uma mulher deve sacrificar se tiver de desenvolver um relacionamento com seu próprio *animus* criativo. Ele representa uma exigência infantil de ser cuidado que ele precisa abandonar, antes que a mulher possa desenvolver suas habilidades.

Desolada e desesperada, Psiquê procura Eros e pensa em suicidar-se. Acaba encontrando Pan, que lhe dá o seguinte conselho: "Dirija-se a Eros, o mais poderoso dos deuses, numa prece ardente e conquiste-o por meio da terna submissão, pois ele é um jovem amoroso e tem um coração meigo". Pan é o deus da existência natural e um aspecto do *animus* espiritual sábio e amoroso. Ele é o verdadeiro mentor de Psiquê, e o progresso dela, daí em diante na história, está de acordo com o conselho dele para reconhecer que sua natureza é governada por Eros e que, para conquistá-lo, ela precisa ser verdadeira com o seu *Self* feminino. Essa é a resposta para o conflito entre o Amor e a Liberdade – a aquisição de ambos, mas feita a nosso próprio modo.

No fim, Psiquê acaba chegando ao palácio de Afrodite e esta determina quatro tarefas para que Psiquê possa reunir-se com seu amante. A primeira é separar uma pilha onde se encontram misturadas milhões de sementes de milho, painço, cevada, papoula, grão-de-bico e lentilha. Psiquê fica sobrecarregada com a tarefa, mas, com a ajuda de minúsculas formigas, consegue separar as sementes. Diante de milhões de possibilidades, a pessoa precisa começar a escolher.

A consciência feminina difusa tem uma espécie de processo ordenador instintivo representado pelo trabalho árduo: as pacientes formigas. Isso me faz lembrar uma história que minha mãe sempre me contava: em épocas remotas, a fim de saber se uma moça daria uma boa esposa, a futura sogra lhe dava novelos de linha embaraçada para desembaraçar. Psicologicamente, esse estágio do desenvolvimento do ego representa uma função diferenciadora e ordenadora do ego – apoiada pelo nível do instinto. Esse é o "ter de" do ego feminino, e não o "deveria" do *animus*.

A segunda tarefa de Psiquê consiste em colher um novelo de lã de brilhantes carneiros de ouro. Nesse caso, ela é auxiliada por bambus sussurrantes que a informam que, durante o dia, os carneiros ficam enlouquecidos com o calor forte do Sol, mas, no frescor da noite, enquanto dormem, ela pode colher sua lã dourada nos galhos e ramos das árvores circundantes. Simbolicamente, essa tarefa significa tomar posse da energia masculina destrutiva, antes dominadora. A sabedoria feminina, vegetativa e desarticulada dos bambus oferece-lhe a informação. Como Dalila, que rouba a força masculina de Sansão enquanto ele dorme, exaurido pelo ato sexual, a Psiquê feminina não realiza sua tarefa à luz do sol do meio-dia, mas à luz noturna do luar. "Essa sabedoria feminina pertence à consciência matriarcal, que, à sua maneira observadora, vegetativa e noturna, retira aquilo que precisa da força mortífera do espírito solar masculino."[10]

Outro exemplo desse processo é mostrado numa história contada por uma analista junguiana europeia a respeito de sua dificuldade para começar a praticar a psicanálise nos Estados Unidos: ela recorreu ao velho médico da família, dr. Lehman, que a aconselhou a frequentar festas. "Festas", disse ela, e tratou de seguir o conselho. Quando, um dia, uma das convidadas lhe perguntou se poderia ir procurá-la profissionalmente, respondeu: "Vamos ver. Ligue para mim na segunda-feira". Na segunda, ela sentou-se ao lado do telefone e ficou esperando. Quando a mulher ligou, respondeu: "Sim, pode vir quarta-feira, às três e meia". Depois, telefonou para o dr. Lehman e disse: "O senhor poderia vir à minha casa quarta-feira às três horas e sair às três e meia?". Ele concordou e ela acrescentou: "E a sra. Lehman virá as quatro e meia!". Atitude tipicamente feminina, velada e, no entanto, heroica.

A terceira tarefa de Psiquê é obter uma urna de água numa catarata que cai do alto de uma montanha. Uma águia a ajuda, levando o jarro até o alto da montanha, enchendo-o e trazendo-o de volta. Assim como o brilho ofuscante e destrutivo dos carneiros do sol, a água da vida, neste caso, também é uma forma dominadora de energia masculina que Psiquê deve conter e possuir a fim de se desenvolver. O princípio da água, o ego pensante, ajuda-a aqui.

Nas três primeiras tarefas, Psiquê *é* auxiliada no seu desenvolvimento por um nível de consciência instintivo, mas, quanto à última tarefa, a própria Psiquê, como ego, deve realizá-la sozinha. Ela é enviada por Afrodite ao reino dos mortos a fim de conseguir certa poção de beleza com Perséfone. Psiquê é avisada para não abrir o frasco e para não permitir que nenhuma das almas dos mortos que se aproximasse e lhe pedisse ajuda entre em seu barco quando descer ao reino subterrâneo. A necessidade de dizer não – a diferenciação das necessidades da pessoa em relação às necessidades dos outros – é uma das tarefas psicológicas mais difíceis.

Em seu segundo diário,[11] Anaïs Nin descreve como deu todo o seu dinheiro, suas roupas, seu trabalho datilografado e, finalmente, até mesmo sua máquina de escrever aos amigos necessitados. Finalmente, foi curada dessa superproteção autodestrutiva no terceiro diário (1939-1944) por uma analista junguiana. Esse problema é descrito com muita beleza no seguinte trecho de Virginia Woolf:

> Descobri que... tinha de lutar com certo fantasma. O fantasma era uma mulher e, quando vim a conhecê-la melhor, dei-lhe o nome da heroína de um famoso poema, "O Anjo da Casa"... Ela era intensamente solidária. Imensamente encantadora. Inteiramente desprendida. Sobressaía-se nas tarefas difíceis da vida em família. Se havia frango na refeição, ela ficava com o pé; se houvesse uma corrente de ar, ela sentava-se bem ali. Em resumo, ela era feita de modo a nunca ter pensamento ou desejo próprio, mas preferia solidarizar-se com os pensamentos e desejos dos outros. Acima de tudo, não é preciso dizer – ela era pura... E quando comecei a escrever, encontrei-a logo nas primeiras palavras. A sombra de suas asas caía sobre a página; eu ouvia o ruído de suas saias na sala. Ela deslizava atrás de mim e sussurrava... Seja solidária, seja delicada, adule, iluda, use todas as artes e astúcias do seu sexo. Jamais deixe alguém adivinhar que você tem mente própria. Acima de tudo – seja pura. E ela agiu como se estivesse guiando a caneta. Eu agora me recordo da única atitude que posso creditar um pouco a mim mesma... eu me virei e segurei-a pela garganta. Fiz tudo o que podia

para matá-la. Minha desculpa, se tivesse de ir a julgamento, seria a de que agi em defesa própria. Se eu não a tivesse matado, ela é que me mataria.[12]

Voltando a Psiquê: ela consegue dizer "não" para as pessoas que lhe imploram ajuda e "não" para Perséfone que lhe pede para ficar, mas, quando está prestes a voltar para Afrodite com o unguento de beleza, compreende que logo verá Eros novamente e não consegue resistir a experimentar em si mesma o unguento para ficar bonita para ele. Mas, ao abrir o frasco, cai num sono semelhante à morte. Assim como a Bela Adormecida e Branca de Neve, ela se torna inconsciente, mas Eros, agora mais maduro (por obra de Psiquê) vai até o pai, Zeus, e obtém permissão para despertá-la; e Afrodite, por ser, afinal de contas, uma deusa do amor, compreende e perdoa. Creio que certa vez li uma entrevista com Doris Lessing na qual ela disse que nunca soube de um escritor que sacrificasse sua carreira por um caso de amor e que nunca soube de uma escritora que não o fizesse.

O melhor da história está por vir: quando Psiquê, reunida com seu amante Eros, finalmente dá à luz, é a uma filha divina chamada Prazer.

Uma de minhas pacientes, depois de muitos anos de luta para encontrar sua própria carreira, finalmente teve sucesso. Antes, ela era uma mãe típica e passou a colaborar em projetos destinados à zona rural patrocinados por uma rica fundação. Ela sonhou que, ao olhar para os vagarosos elevadores do grande prédio comercial em que trabalhava, imaginou alegremente um modo de as pessoas jogarem basquetebol enquanto esperavam.

Para explicar o problema de fazer as coisas de uma maneira feminina, eu gostaria de citar algumas palavras de Anaïs Nin para descrever o que ela acha que seja "criatividade feminina". Estes trechos provêm de um encontro com Henry Miller, Laurence Durrell e sua esposa, Nancy:

> Meu sentimento em relação à falta de argumento das mulheres é novamente despertada pelos balbucios e hesitações... "Cale a boca", diz Larry para Nancy. Ela me olha de modo estranho, como se esperasse que eu a defendesse, que explicasse a sua atitude.

A respeito da objetividade, Nin diz o seguinte:

> Veja a história do nascimento. Ela difere muito pouco, na sua forma refinada, do modo como eu a contei no diário, imediatamente depois de ter acontecido... A objetividade pode resultar num quadro mais acabado, mas a ausência dela, a empatia, o fato de sentir com ela, de mergulhar nela, pode trazer um tipo de conexão com ela.
> Quanto a todas as bobagens que Henry e Larry falaram, a necessidade de se "ser um Deus" para criar... a mulher nunca teve comunicação direta com Deus, a não ser através do homem, o sacerdote. Mas o que nem Larry nem Henry compreendem é que a criação da mulher, longe de ser como a do homem, deve ser exatamente como a criação dos filhos, deve nascer de seu próprio sangue, ser contida em seu próprio ventre, alimentada

com seu próprio leite. Deve ser uma criação humana, de carne, deve ser diferente das abstrações do homem. Quanto a esse "eu sou Deus", que torna a criação um ato de solidão e orgulho, essa imagem de Deus solitário fazendo o céu, a terra, o mar, é essa imagem que tem confundido a mulher... A mulher não esquece que precisa do fecundador, não esquece que tudo o que nasce dela é plantado nela. Se esquece isso, está perdida.[13]

A realização é o trabalho do ego e a criação, o trabalho do *Self;* ambas, para as mulheres, são femininas no seu ritmo, no seu processo, no seu método e no seu estilo. (Ver figura 18.) O trabalho das mulheres geralmente é individual e original, já que elas não se socializaram para ser jogadoras de times ou membros do clube, ou *gentlemen*. O processo criativo, dirigido pelo *Self* feminino, o doador de vida, a matriz e o nutridor, atrai tanto o aspecto transformador como o aspecto maternal do feminino. (Ver figura 19.) A criação tem fortes paralelos com a concepção, com a gestação, o nascimento e o cuidado com o bebê no mundo físico, enquanto a realização tem como base o relacionamento sexual com o *animus*, que resulta num ego feminino forte e bem desenvolvido.

A história de Eros e Psiquê realça muitos desses problemas, mas realmente ainda não há um final feliz. Chegamos ao fim do mesmo modo que estávamos no começo, com o problema de como viver nossa vida como mulheres no eixo do ego feminino/ *Self* com a ajuda do *animus*. Mas se o *animus* dirigir o *show*, então estaremos perdidas, ou se *ele* fizer todo o trabalho, não vai adiantar nada e vai tornar-se autodestrutivo. Descobrir como transcender o eixo ego feminino/*Self* é a jornada da individuação para as mulheres.

Figura 18. Doña Rosa, oleira, Oaxaca, México.

Figura 19. A Fiandeira. "O mistério de dar à luz é basicamente associado à ideia de fiar e tecer e as atividades femininas complicadas..." Marie-Louise von Franz. Fotografia de W. Eugene Smith, "Espanha, Fiandeira, 1951". © 1978 SherArt Images, Nova York.

9

A Feiticeira e a Sabedoria

A feiticeira mora sozinha no limite da cidade, ou no meio da floresta, no deserto, ou à beira do Mar Vermelho. Ela é feia ou bonita. Penteia com uma pata de animal seus cabelos compridos e embaraçados. Tem pintados os seios que não contêm leite, as pernas cobertas de pelos e um pé de bode, de asno, de galinha ou de coruja.

As feiticeiras são criaturas da noite, encontradas em lugares escuros – em encruzilhadas, sob arcadas, na soleira de portas ou pontes, em latrinas e poços. São associadas com a Lua, com o corvo, com os morcegos, cachorros, rãs e sapos. Saem voando à noite movidas pela força das próprias asas, ou em vassouras ou, como Baba Yaga, num almofariz com uma mão de pilão servindo de remo. (Ver figura 20.)

A feiticeira é o arquétipo feminino desprezado e rejeitado. Ela não é a misericordiosa mãe de Deus, de jeito nenhum; é a Kali sombria, assassina e devoradora de crianças, com caveiras penduradas em volta do pescoço, com ossos formando uma cerca ao redor de sua casa. Ela não é o verde abundante, criativo e viçoso da natureza, mas o aspecto sombrio, cruel, sem sentido, destruidor. Não é a companheira amorosa, compassiva, a mão direita do homem. Não. Ela é essencialmente solitária. É ela mesma. Sexualmente voraz, uma megera, uma Circe sedutora e, afinal, mais uma vez devoradora e manipuladora da morte.

Mamãe Holle, ou Hulda, a feiticeira mãe demoníaca teutônica, que engole crianças e bebês, aparece como a deusa do amor, Vênus, na seguinte receita para uma poção de amor hebraica-iídiche do século XV:

> Consiga um ovo posto numa quinta-feira por uma galinha preta que nunca botou um ovo antes e, no mesmo dia, depois do pôr do sol, enterre-o numa encruzilhada. Deixe-o lá por três dias; então, desenterre-o depois do pôr do sol, venda-o e, com o dinheiro da venda, compre um espelho, que você deverá enterrar no mesmo lugar, à noite, em nome de Vênus, dizendo: "Tudo o que você tiver na vida, Mamãe Hulda, ofereça a Vênus". Durma nesse lugar durante três noites e então remova o espelho. A pessoa que olhar para ele vai amar você![1]

A mãe devoradora torna-se a sedutora irresistível. Talvez a pessoa pudesse usar essa receita para assegurar o amor de si mesma.

Apresentamos aqui outro retrato de uma feiticeira em ação, descrita no Zohar:

Ela se enfeita com muitos ornamentos, como uma prostituta vulgar, e assume sua posição nas encruzilhadas para seduzir os filhos do homem. Quando um tolo se aproxima, ela o agarra, beija-o e lhe serve vinho com resíduos de fel de víbora. Assim que bebe isso, ele fica perdido, vai atrás dela. Quando ela percebe que ele se desviou do caminho da verdade para a seguir, despe-se de todos os ornamentos que colocou por causa desse tolo. Seus ornamentos para seduzir o homem são os seguintes: cabelo comprido e vermelho como a rosa, faces brancas e vermelhas, seis enfeites pendendo das orelhas. No pescoço, carrega cordões egípcios e todos os ornamentos da terra do Oriente. Sua boca é como uma porta estreita graciosamente decorada; a língua é afiada como uma espada; suas palavras são escorregadias como o óleo; seus lábios são vermelhos como uma rosa e adoçados com todo o mel do mundo. Ela se veste de vermelho e enfeita-se com quarenta ornamentos menos um. Aquele tolo vai perdido atrás dela e bebe da taça de vinho e se submete às suas fornicações e vagueia atrás dela. O que ela faz então? Deixa-o adormecido no sofá, voa para o céu, denuncia-o, parte e desce de volta. O tolo acorda e pensa que ainda pode se divertir com ela, mas ela retira os ornamentos e... fica em pé diante dele, vestida com roupas de fogo flamejante, inspirando terror e fazendo o corpo e a alma tremer, com olhos amedrontadores, segurando na mão uma espada que pinga gotas amargas. E ela mata o tolo e lança-o na Gehenna.[2]

Figura 20. Feiticeiras voam pela noite. *Bat-Woman,* Albert Penot, 1890, óleo.

A feiticeira mexe o caldeirão, prepara sua infusão e tece a sua teia. O que as feiticeiras fazem é algo circular, cíclico, como a Lua. Elas fiam e tecem, fazem cerveja e cozinham; sonham e planejam, lançam maldições, encantamentos, leem a sorte, criam enigmas, designam tarefas, interpretam sonhos e fazem profecias.

Uma feiticeira pode tornar você inconsciente, lançando-a num sono mortal por cem anos (ver figura 21). Pode fazer um bebê rir enquanto dorme, embaraçar-lhe o cabelo e estrangulá-lo. Pode transformar um homem num porco, como Circe fez com seus amantes; ou pode mantê-la prisioneira numa torre ou num caixão de cristal até que alguém venha libertá-la.

Somos todas um bocado feiticeiras, cada uma a seu modo, já que tudo o que é rejeitado e desprezado no arquétipo feminino e reprimido em nós torna-se sombra ou algo pior.

Lilith,[3] que estava presente no ato da criação, tem uma longa e gloriosa carreira como feiticeira, representando as facetas negligenciadas e rejeitadas da deusa em ambos os seus aspectos – como sedutora e também como mãe devoradora. A única referência ao nome de Lilith no Antigo Testamento ocorre quando Isaías descreve o dia da vingança de Yahweh, quando a Terra se transformará num deserto desolado, dizendo o seguinte:

> O gato selvagem se encontrará com os chacais e o sátiro gritará para o seu companheiro.
> Sim. Lilith lá repousará e será para ela um local de descanso.
>
> (Isaías 34:14).

Figura 21. A feiticeira no espelho. *The Sin,* Franz von Stuck, 1893.

Lilith foi a primeira mulher de Adão; suas origens são descritas no Genesis 1:27: "Criou Deus o homem à sua imagem, à imagem de Deus o criou; homem e mulher os criou". Lilith insistiu na igualdade com Adão – recusando-se, inclusive a ficar embaixo dele durante o ato sexual – argumentando que ambos foram criados do pó. Quando Lilith viu que Adão estava determinado a dominá-la, pronunciou o nome mágico e inefável de Deus, subiu aos ares e voou às margens do Mar Vermelho, onde se entregou a uma desenfreada promiscuidade com demônios lascivos e deu à luz "Lilim", numa razão de mais de cem por dia.

Adão foi reclamar de sua deserção a Deus, que imediatamente enviou três anjos para trazer Lilith de volta. "Volte para Adão", exigiram eles, "senão nós a mataremos." De acordo com Aleph Bet Ben Sira, do século XV, Lilith respondeu: "Como posso morrer se o Ser Sagrado deu ordens para que eu me encarregasse de todos os recém-nascidos, os meninos até o oitavo dia de vida [quando eles são circuncidados e recebem um nome] e as meninas até o vigésimo dia? No entanto, se alguma vez eu vir vossos três nomes, ou vossas imagens, expostos num amuleto circular mágico acima de um bebê recém-nascido, prometo que vou poupá-lo". Com isso eles concordaram, mas Deus castigou Lilith fazendo que cem de seus filhos demoníacos morressem todos os dias.

Lilith morava sozinha no deserto, até que Adão e Eva se separaram depois de ficarem sabendo do pecado de Caim. Adão passou a jejum, absteve-se de manter relações sexuais com Eva e colocou um cinto de ramos de figueira em torno do seu corpo nu. Mas quando Lilith visitou-o à noite, ele foi incapaz de controlar sua ejaculação noturna, e ela se satisfez com ele e produziu as pragas da humanidade.

De fato, depois disso, Lilith passou a visitar a cama dos homens e mulheres que dormiam sozinhos, excitando seu desejo e copulando com eles, causando orgasmo e êxtase. E mesmo quando um homem deseja comprometer-se a ter relações sexuais legais com a esposa, diz-se que "Lilith está sempre presente nos lençóis do homem e da mulher quando copulam, a fim de se apoderar das gotas de sêmen que se perderem". Nas formas profanas de relação sexual – isto é, quando um homem se une à esposa à luz de velas, ou com a esposa nua, ou na época em que é proibido manter relações com ela –, Lilith está presente e exerce domínio sobre os filhos gerados dessas uniões.

Dizem que Lilith se casou com Tobal Caim e compareceu diante de Salomão como rainha de Sabá, com as pernas peludas denunciando seu estado demoníaco, e também como as duas meretrizes que reivindicaram a criança. No Cântico dos Cânticos, creio que é ela quem diz:

> Eu sou negra mas formosa,
> filhas de Jerusalém
> Como as tendas de Kedar,
> Como os pavilhões de Salmah.
> Não reparem na minha cor escura.
> Foi o sol que me queimou.
> Os filhos de minha mãe voltaram sua raiva contra mim.
> Fizeram-me.... cuidar de seus vinhedos.
> Se pelo menos eu tivesse tomado conta dos meus!

Em outra lenda, Elijah encontrou Lilith quando ela estava indo assassinar o bebê de uma das filhas de Eva. Elijah disse: "Que você seja impedida de fazer isso em nome do Senhor, bendito seja Ele! Fique muda como uma pedra". Lilith retrucou: Oh, Senhor, liberte-me e eu prometo, em nome de Deus, renunciar ao mau caminho e, sempre que vir ou ouvir meus *próprios* nomes, não terei poder para fazer o mal ou para prejudicar alguém. Juro revelar meus verdadeiros nomes a você. E são estes os meus nomes: Lilith, Abiti, Abiga, Amrusu, Hakash, Odem, Ik, Pudu, Ayil, Matruta, Avgu, Katah, Kali, Batuh, Paritasha. De todos aqueles que conhecerem esses nomes e os utilizarem, prometo fugir.[4]

Há muitas outras lendas a respeito de Lilith: ela é a mulher de Samael, o Outro Deus ou demônio; na Cabala, é chamada de Shekiná, a forma mais elevada do espírito feminino, e até mesmo tornou-se a consorte de Deus na época da destruição do templo. A identidade dos opostos em Lilith e o Matronit, o aspecto feminino de Deus, é aparente. Lilith está sempre presente para nós, mulheres, e devemos ter consciência dela em nós a fim de evitar cair no caminho do mal ou nos colocar em perigo.

Especificamente, ignoramos Lilith em seus vários disfarces de feiticeira, isto é, se não estivermos conscientes de seus nomes, ela vai matar nossos bebês, ou seja, nossa criatividade, nosso impulso para o crescimento e o desenvolvimento. Em resumo, ela vai estrangular aquele impulso criativo recém-nascido que nos é mais caro. Do mesmo modo, vai se interpor entre nós e nosso amante, roubando o desejo dele e inseminando as energias criativas longe de nós. Isso pode acontecer exteriormente, arruinando o relacionamento com um homem, ou interiormente, entre a mulher e seu *animus*.

Se uma mulher se identificar com Lilith, ela vai destruir os elementos recém-nascidos dentro e fora de si, vai viver no deserto e sentir-se marginalizada, negra, rejeitada e desejosa de vingança. Ela vai tentar seduzir homens por quem nada sente, apenas por motivos de poder. E seu senso de isolamento e desolação crescerá diariamente.

Lilith é retratada, em vasos babilônicos datados do ano 600 d.C., presa com correntes e com o seguinte encantamento:

> Presa se encontra a fascinante Lilith com um gancho de ferro no nariz; presa se encontra a fascinante Lilith com prendedores de ferro na boca; presa se encontra a fascinante Lilith... com uma corrente de ferro no pescoço; presa se encontra a fascinante Lilith com grilhões de ferro nos punhos; presa se encontra a fascinante Lilith com montes de pedras sobre os pés.[5]

A completa supressão é um modo primitivo de se lidar com uma deusa que prometeu ir-se embora e não fazer nenhum mal, contanto que seus nomes fossem conhecidos ou escritos. Da mesma maneira, em muitos vasos babilônicos havia inscrições narrando ações de divórcios dirigidos a Lilith:

> Sejam todos informados de que o rabino Joshua bar Perahia enviou a tua excomunhão. Uma ação de divórcio desceu do céu até nós...Tu, Lilith, Bruxa e Sequestradora, sê

excomungada... Uma ação de divórcio chegou a ti pelo mar... Ouve-a e parte... Não deves aparecer outra vez... seja em sonhos, à noite, ou em devaneios, durante o dia, porque estás selada com o sinete de El Shaddai, e com o sinete da casa de Joshua bar Perahia e pelos Sete que estão diante dele... Tu, Lilith, Bruxa e Sequestradora, eu te conjuro pelo Grande Abraão, pela Rocha de Isaac, pelo Shaddai de Jacó, pelo nome de Yahweh... pelo memorial de Yahweh... deixa [esta casa]... teu divórcio e separação... enviado através de anjos sagrados... as Legiões de Fogo nas esferas, as Carruagens de El Panim que diante dele se colocam, as Bestas em adoração no fogo de seu trono e na água... *Amen, Amen, Selah, Halleluyah!*[6]

Esses métodos nunca funcionaram e com certeza não funcionam psicologicamente no nível individual. De fato, o modo como lidamos com a feiticeira que há dentro de nós é exatamente o oposto. Como dizem os mitos talmúdicos, devemos ser conscientes dos nomes dos três anjos enviados por Deus – isto é, nossa ligação com o *Self* e também dos catorze nomes de Lilith, ou as muitas facetas e detalhes de nossa natureza lilithiana.

Esta última parte do livro deveria ser intitulada "Como se tornar Wicca (feiticeira): como fazer isso". Porque essas características da feiticeira são a sombra, estão próximas do transpessoal. Está certo ceder ao mau humor da feiticeira. Isso significa ficar sozinha – provavelmente na sua própria casa, no seu lugar especial dentro dela. (Ver figura 22.) Ficar chocando, meditando e prestando atenção ao seu processo (lembrando-se dos três anjos). Costurar, fazer crochê, bordar, cozinhar, pintar, escrever, fazer música, dançar, sonhar, ler, fazer planos, fazer as unhas. Passar horas banhando-se, ungindo-se, pintando-se, perfumando-se. Marie-Louise von Franz diz que "o mistério de dar à luz é basicamente associado à ideia de fiar e tecer e às complicadas atividades femininas que consistem em unir elementos naturais numa certa ordem".[7] Nessas atividades, damos à luz fantasias, redes e intrigas, nas quais podemos ler nossos verdadeiros motivos. Um manuscrito babilônico oferece as seguintes garantias contra Lilith: coloque uma agulha perto do pavio de uma lâmpada, ou coloque uma medida usada para medir trigo no quarto da mulher que precisa ser protegida. As atividades de costurar, de tecer, ou as atividades ligadas à desordem e à acomodação parecem atrair Lilith para o quarto; então, se formos devidamente receptivas, poderemos vê-la. Em *A Sombra e o Mal nos Contos de Fadas* e *Problemas do Feminino nos Contos de Fadas*, Marie-Louise von Franz conta a história da garotinha que é mandada a Baba Yaga para obter fogo. A feiticeira encoraja-a a fazer-lhe perguntas a respeito de seus atributos, mas, num determinado momento, previne-a de que se deve deixar que o mistério continue.[8] Você vai saber qual é esse momento quando você mesma chegar a ele. Acredito que sim. É apenas um pequeno aviso de feiticeira. A parte importante da receita é "ponderar, provocar e atrair a atenção".

Creio que frequentemente a mulher encontra, na sua poção de feiticeira, suas próprias necessidades de amor, relacionamento, dependência, sexo. Ela encontra essas necessidades num nível inaceitável – carente demais, dependente demais, físico

Figura 22. Tornando-se Wicca: podemos executar rituais particulares para nos tornarmos "feiticeiras". *Steinfrau*, fotografia de Ine Guckert, Forstinning, Alemanha Ocidental.

demais –, seja o que for que tenha sido desprezado e rejeitado na sua experiência pessoal. Esses são os sentimentos e as necessidades inexprimíveis que transformam a feiticeira, a assassina de crianças e a criatura solitária que busca o poder.

Se pudermos aceitar essas necessidades em nós mesmas e se pudermos aceitar nossos sentimentos de rejeição e vingança, então estaremos no caminho da integridade. Num nível mais prático, quando nos conscientizamos de nossos motivos, necessidades e sentimentos, quando os aceitamos, os poderes de feiticeira são muito mais eficazes.

Experimente uma receita de Lilith: banhe-se, maquie-se e perfume-se preparando-se para um encontro com determinado homem. Preste atenção a suas fantasias para ficar sabendo o que você quer dele. E então, quando estiver com ele, olhe bem nos seus olhos e pense naquilo que você quer (é muito importante ter a certeza de que você realmente quer isso, porque funciona). Não é o que você faz – não o ego –, isso é a magia de amor. Trata-se de aceitar a sua natureza de Lilith, suas necessidades, seu lado sombra.[9]

Num brilhante ensaio a respeito da rainha de Sabá, Rivkah Kluger conta como Salomão mandou construir um soalho de vidro na sala de seu trono de modo que, quando Lilith, disfarçada como rainha de Sabá, se aproximasse dele, pensasse que seu trono estivesse sobre a água. Para atravessar a água e aproximar-se, ela levantaria as saias, revelando então as pernas peludas, sinal inconfundível de sua natureza demoníaca e feiticeira.[10] Como o "problema" da rainha de Sabá se torna consciente, ela é capaz de alcançar um nível de desenvolvimento mais elevado e chegar até as suas fontes mais profundas de sabedoria feminina. Do mesmo modo, sabemos que Baba Yaga passeia por aí montada num almofariz usando uma mão de pilão para remar. De acordo com Marie-Louise von Franz, isso simboliza um esforço esfalfante para descer até a essência – a *prima materia*.[11] Trata-se de uma percepção da sombra que se aprofunda tanto a ponto de não podermos dizer mais nada sobre qualquer coisa. Este é o momento decisivo. O ego em seu aspecto negativo é pulverizado e tem de ceder a forças maiores. (Ver figura 23.)

No nível individual, toda mulher carrega na sua sombra os aspectos negligenciados, rejeitados e exilados do feminino, mas, num plano cultural mais amplo, num plano arquetípico mais profundo e num plano transpessoal mais elevado, o lado feminino de Deus precisa ser redimido a fim de trazer a cura, a integridade e o equilíbrio para o planeta e a humanidade.

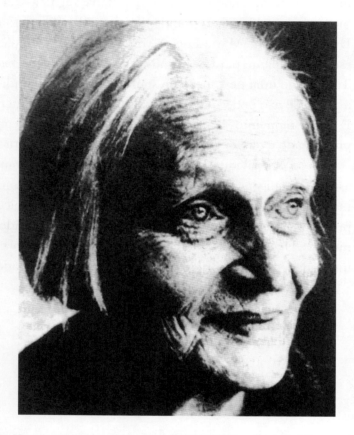

Figura 23. Irina Tweedie, cujo diário espiritual é *The Chasm of Fire*, escreve o seguinte: "A trilha do amor é como uma ponte de cabelos atravessando um abismo de fogo". Foto de Irina Tweedie, tirada por John Moore. Reproduzida com permissão.

Epílogo

Ultimamente, tenho pensado muito no tempo e no envelhecimento: a bruxa, a velhinha e a feiticeira. Há uns doze anos, quando escrevi a respeito da transformação em Wicca, parece que pensei nisso como o fim. Mas, aqui e agora, isso me parece apenas o meio do caminho.

Tenho uma amiga íntima que tem sido para mim, de muitos modos, mãe, irmã e filha. Nós nos conhecemos há mais de vinte anos, quando minha filha nasceu, minha amiga era uma garota de 19 anos que estava se mudando para o estúdio ao lado, para começar seu terceiro ano na Universidade de Nova York. Agora, ela é uma artista famosa que pinta enormes obras ambientais, dirige uma empresa que invoca em arte e tem duas filhas com menos de 4 anos de idade. Em alguns aspectos, sua vida é muito diferente do que era a minha, quando meus filhos eram pequenos. Ela acha que os casos de amor entre pessoas que estão geograficamente separadas devem ser feitos via fax, porque isso valoriza a comunicação sequencial direta em detrimento das vicissitudes ambíguas e altamente complicadas das cartas confiadas aos sistemas postais das terras distantes. Mas recentemente eu lhe perguntei: "Como vai?". E ela respondeu: "Há vida demais". Eu sabia exatamente como ela estava se sentindo. As mulheres, antigas e modernas, são por natureza vinculadas a um ciclo lunar, às pessoas, ao trabalho e ao *Self.* Nós estamos mergulhadas na vida. Há um processo interminável.

Agora eu sei por que Penélope tecia durante o dia e desmanchava o trabalho à noite enquanto Ulisses viajava pelo mundo. Dizem que era para manter seus pretendentes a distância; mas eu sei que era o seu próprio – o *nosso* próprio – interminável processo que a ocupava.

Originalmente, o título *A Tecelã* foi escolhido com dupla intenção. Achei que ele refletia tanto o processo como a matéria, o conceito de mulher. A coleção poderia ter sido chamada simplesmente *Feminina*, porque a própria palavra diz tudo, e *é* todo o processo. Não existe uma definição completa da mulher. Uma mulher é uma experiência e uma energia feminina que tece, que é tecida, que é desfeita e *que se movimenta.*

NOTAS

Capítulo 1

1. Estas palavras foram pronunciadas por uma mulher nobre da Abissínia para o antropólogo Frobenius, em 1899, e citadas por C. G. Jung e C. Kerenyi em seu livro *Essays on a Science of Mythology*, Bollingen Series, vol. 22 (Princeton, NJ: Princeton University Press, 1963), p. 101. Reproduzidas com permissão do editor.
2. Extraído de correspondência pessoal. Reproduzido com a permissão do autor.
3. Ver, por exemplo, *The Book of Lilith*, de Barbara Black Koltuv (York Beach, ME: Nicolas-Hays, 1986). [*O livro de Lilith*. São Paulo: Cultrix, 2017.]
4. Este sonho e todos os outros descritos nestes ensaios foram utilizados com o consentimento expresso das pessoas que os sonharam e que desejam permanecer anônimas.
5. Essas descrições aparecem nas páginas 72 e 184 de *The Early Diary of Anaïs Nin*, vol. II, 1920-33 (San Diego: Harcourt, Brace, Jovanovich, 1983).

6. Um tipo de *kohl* é preparado com pedra pulverizada. Outro tipo, usado por mulheres beduínas, é feito com a fuligem formada pela fumaça do azeite de oliva queimado em lâmpadas.
7. Usei a *Bíblia de Jerusalém* (Nova York: Doubleday, 1961) para todas as citações bíblicas deste livro.
8. M. Esther Harding, *Women's Mysteries* (Nova York: Harper & Row, 1976), p. 103.
9. Irene Claremont de Castillejo, *Knowing Woman* (Nova York: Harper & Row, 1974), pp. 165-182.
10. Se você conseguir agarrar a ponta da Lua com a mão esquerda, ela é crescente. Se só conseguir agarrá-la com a mão direita, ela é minguante.
11. Para conhecer a história completa do poder das mulheres menstruadas em 2 mil anos de história, ver a Tese de Bacharelado não publicada de Hannah Koltuv, "Forbidden Lust: Menstrual Taboos in the Jewish Tradition", Amherst College, 1988.
12. Charlotte Painter, "The Story of a Pregnancy", em *Who Made the Lamb* (San Francisco: Creative Arts Books, 1988).
13. Padraic Colum, *Myths of the World* (Nova York: Grossett and Dunlap, 1934), p. 35.
14. Ibid., p. 36.
15. Sylvia Plath, "Ode to Lesbos", em *Ariel* (Nova York: Harper & Row, 1961).

Capítulo 2

1. O livro de Toni Wolff, "Structural Forms of the Feminine Psyche", pode ser encontrado em inglês em forma de panfleto na Biblioteca Kristine Mann, 28 E. 39th Street, Nova York, NY 10016.

2. C. G. Jung e C. Kerényi, *Essays on a Science of Mythology*, Bollingen Series, vol. 22 (Princeton, NJ: Princeton University Press, 1963), p. 162. Usado com permissão.
3. Adrienne Rich, *Of Woman Born*, no ensaio "Mothers and Daughters" (Nova York: Norton, 1986), p. 219.
4. Ibid., p. 226.
5. Philip Zabriskie, "Goddesses in Our Midst", em *Quadrant* nº 17 (Nova York: C. G. Jung Foundation, outono de 1974), pp. 34-45.
6. Erich Neumann, *The Great Mother*, Bollingen Series, vol. 47 (Princeton, NJ: Princeton University Press, 1964), p. 25.

Capítulo 3

1. Toni Wolff, "Structural Forms of the Feminine Psyche", disponível em forma de panfleto na Biblioteca Kristine Mann, 28 E. 39th Street, Nova York, NY, 10016.
2. Kate Chopin, *The Awakening* (Nova York: Avon, 1972), p. 8.
3. Anaïs Nin, *The Diary of Anaïs Nin*, vols. 1-7 (Nova York: Harcourt, Brace, Jovanovich, 1976-1986).
4. Ken Kesey, *One Flew Over the Cuckoo's Nest* (Nova York: Penguin, 1977).
5. Toni Wolff, "Structural Forms of the Feminine Psyche", p. 9.
6. Par Lagerkvist, *The Sybil* (Nova York: Random House, 1963).
7. Barbara Black Koltuv, "Hestia", em *Quadrant*, vol. 10, nº 2 (Nova York: C. G. Jung Foundation, inverno de 1977), pp. 58-63.
8. Ovídio, *Fasti*, vol. I, trad. James G. Frazer (Cambridge: Harvard University Press, 1951), p. 327.
9. Irene Claremont de Castillejo, "Soul Images of Women", em *Knowing Woman* (Nova York: Harper & Row, 1974).
10. M. Esther Harding, *Woman's Mysteries* (Nova York: Harper & Row, 1971).

11. Ovídio, *Fasti*, vol. I, p. 317.
12. Ibid., p. 315.
13. C. G. Jung, *Mysterium Coniunctionis*, Collected Works of C. G. Jung, vol. 14, Bollingen Series, vol. 20 (Princeton, NJ: Princeton University Press, 1970), p. 241.
14. Ibid., p. 285.

Capítulo 4

1. Monique Wittig, *Les Guerillières* (Boston: Beacon, 1985), p. 89.
2. Mary McCarthy, *The Group* (Nova York: Harcourt, Brace, Jovanovich, 1963).
3. Rona Jaffee, *The Best of Everything* (Nova York: Penguin Books, 2005).
4. Doris Lessing, *The Children of Violence* (Nova York: Plume, 1970).
5. Marilyn French, *The Women's Room* (Nova York: Summit, 1977).
6. Betty Friedan, *The Feminine Mystique* (Nova York: Norton, 1983).
7. Alix Kates Shulman, *Memoirs of an Ex-Prom Queen* (Chicago: Academy of Chicago Publishers, 1985).
8. Sue Kaufmann, *Diary of a Mad Housewife* (Nova York: Thunder's Mouth Press, 2005).

Capítulo 5

1. C. G. Jung, *The Visions Seminars*, vol. II (Zurique: Spring Publications, 1976), pp. 497-98.
2. Irene Claremont de Castillejo, *Knowing Woman* (Nova York: Harper & Row, 1974).
3. Emma Jung, *Animus & Anima*, trad. C. F. Baynes e H. Nagel (Nova York: Spring Publications, 1985). [*Animus e anima*. São Paulo: Cultrix, 1991.]

4. Adrienne Rich, excertos de "Natural Resources", em *The Dream of a Common Language* (Nova York: Norton, 1978), p. 63.
5. Colette, *Cheri* (Nova York: Ballantine, 1982).
6. Este sonho e todos os outros mencionados neste livro foram utilizados com o consentimento expresso das pessoas que os sonharam e que desejam permanecer anônimas.
7. Castillejo, *Knowing Woman*.
8. Barbara Hannah, "The Problem of Women's Plots in *The Evil Vineyard*" (The guild of Pastoral Psychology, nº 51, fevereiro, 1948).
9. Emma Jung, *Animus & Anima*.
10 Marie-Louise von Franz, *Problems of the Feminine in Fairy Tales* (Nova York: Spring Publications, 1972), p. 27.
11. C. G. Jung, *The Visions Seminars*, vol. I (Zurique: Spring Publications, 1976), p. 6.

Capítulo 6

1. Toda a história é contada no Livro de Ester no Antigo Testamento. Utilizei a *Bíblia de Jerusalém* (Nova York: Doubleday, 1961), para esta versão particular da história, tal como se apresenta aqui. Itálicos meus.

Capítulo 7

1. Erich Neumann, "Psychological Stages of Feminine Development" (Analytical Psychology Club of New York, primavera de 1959). O texto datilografado pode ser lido na Biblioteca Kristine Mann, 28 E. 39th Street, Nova York, NY 10016.
2. Erich Neumann, "The Moon and Matriarchal Consciousness", em *Fathers and Mothers* (Zurique: Spring Publications, 1973), pp. 40-63.
3. Neumann, "Psychological Stages of Feminine Development", p. 63.

4. Ibid., p. 64.
5. Ibid., p. 65.
6. Ibid., p. 65.
7. Ibid., p. 66.
8. Ibid., p. 67.
9. Ibid., pp. 67, 68.
10. Ibid., p. 69.
11. Ibid., p. 71.
12. Ibid., p. 73.

Capítulo 8

1. Olive Shreiner, "Life's Gifts", em *Dreams* (Boston: Roberts Brothers, 1894).
2. Tillie Olsen, *Silences* (Nova York: Dell, 1979).
3. C. G. Jung, "Woman in Europe", em *Civilization in Transition, Collected Works of C. G. Jung*, vol. 10, Bollingen Series, vol. 20 (Princeton, NJ: Princeton University Press, 1970), p. 119.
4. Ibid., p. 119.
5. Ibid., p. 133.
6. M. Esther Harding, *The Way of All Women* (Nova York: Putnam, 1970), p. 69.
7. Matina S. Homer, "A Psychological Barrier to Achievement in Women The Motive to Avoid Success" (Simpósio apresentado na Midwestern Psychological Association, maio de 1968, Chicago), p. 11.
8. Marie-Louise von Franz, *Problems of the Feminine in Fairy Tales* (Nova York: Spring Publications, 1972).
9. Erich Neumann, *Amor and Psyche*, Bollingen Series, vol. 54 (Princeton, NJ: Princeton University Press, 1956). [Amor e Psiquê. São Paulo: Cultrix, 1991.]

10. Ibid., p. 101.
11. Anaïs Nin, *The Diary of Anaïs Nin 1934-1939*, vol. II (San Diego: Harcourt, Brace, Jovanovich, 1983).
12. Virginia Woolf, trecho de "Professions for Women", em *The Death of the Moth and Other Essays* (San Diego: Harcourt, Brace, Jovanovich, 1974), p. AU.
13. Anaïs Nin, *The Diary of Anaïs Nin 1939-1944*, vol. III (San Diego: Harcourt, Brace, Jovanovich, 1985), pp. 208-295.

Capítulo 9

1. Joshua Trachtenberg, *Jewish Magic & Superstition* (Nova York: Atheneum, 1979), p. 43.
2. Raphael Patai, *The Hebrew Goddess* (Nova York: Avon, 1984), p. 222.
3. Barbara Black Koltuv, *The Book of Lilith* (York Beach, ME: Nicholas-Hays, 1986). Contém muitas histórias sobre as origens e as façanhas de Lilith e uma discussão acerca do significado que ela assume na psicologia feminina.
4. Theodore H. Gaston, *The Holy and Profane* (Nova York: William Morrow, 1980), p. 22.
5. Patai, *The Hebrew Goddess*, p. 217.
6. Ibid., p. 213.
7. Marie-Louise von Franz, *Problems of the Feminine in Fairy Tales* (Nova York: Spring Publications, 1972), p. 38.
8. Marie-Louise von Franz, *Shadow and Evil in Fairy Tales* (Nova York: Spring Publications, 1974), p. 39.
9. Compare com a receita no início do capítulo 9 (p. 120) que começa com "Consiga um ovo...".
10. Rivkah Kluger, "The Queen of Sheba in Bible and Legend", em *Psyche and Bible* (Zurique, primavera de 1974), p. 113.
11. Marie-Louise von *Franz, Problems of the Feminine in Fairy Tales*, p. 155.

Impresso por :

Graphium
gráfica e editora

Tel.:11 2769-9056